中华人民共和国电力行业标准

高压直流架空输电线路
设计技术规程

Technical code for design of
HVDC overhead transmission line

DL 5497—2015

主编部门：电力规划设计总院
批准部门：国　家　能　源　局
施行日期：2015年9月1日

中国计划出版社

2015　北　京

国 家 能 源 局

公　告

2015 年　第 3 号

依据《国家能源局关于印发〈能源领域行业标准化管理办法（试行）〉及实施细则的通知》（国能局科技〔2009〕52号）有关规定，经审查，国家能源局批准《压水堆核电厂用碳钢和低合金钢　第31部分：安全壳用15Mn锻件》等203项行业标准，其中能源标准（NB）106项和电力标准（DL）97项，现予以发布。

附件：行业标准目录

国家能源局
2015 年 4 月 2 日

附件：

行业标准目录

序号	标准编号	标准名称	代替标准	采标号	批准日期	实施日期
……						
189	DL 5497—2015	高压直流架空输电线路设计技术规程			2015-04-02	2015-09-01
……						

前　言

根据《国家能源局关于下达 2010 年第一批能源领域行业标准制(修)订计划的通知》(国能科技〔2010〕320 号)的要求,标准编制组经调查研究,认真总结国内外高压直流架空输电线路的设计工作经验,并在广泛征求意见的基础上制定本标准。

本标准共分 16 章 9 个附录,主要技术内容包括:总则,术语和符号,路径选择,气象条件,导线和地线,绝缘子和金具,绝缘配合、防雷和接地,导线布置,杆塔型式,杆塔荷载,杆塔材料及结构,基础,对地距离及交叉跨越,环境保护,劳动安全和工业卫生,附属设施等。

本标准中以黑体字标志的条文第 5.0.2、5.0.3、5.0.9、6.0.4、13.0.2、13.0.3 条以及第 13.0.8 条第 1 款为强制性条文,必须严格执行。

本标准由国家能源局负责管理和对强制性条文的解释,由电力规划设计总院提出,由能源行业电网设计标准化技术委员会负责日常管理,由中国电力工程顾问集团西北电力设计院有限公司负责具体技术内容的解释。执行过程中如有意见或建议,请寄送电力规划设计总院(地址:北京市西城区安德路 65 号;邮政编码:100120)。

本标准主编单位、参编单位、主要起草人和主要审查人:
主 编 单 位:中国电力工程顾问集团西北电力设计院有限公司
参 编 单 位:中国电力工程顾问集团中南电力设计院有限公司
　　　　　　　中国电力工程顾问集团华北电力设计院有限公司
　　　　　　　中国电力工程顾问集团西南电力设计院有限公司
主要起草人:杨　林　高　振　江卫华　马志坚　徐维毅

	赵雪灵	朱永平	王虎长	陈　媛	梁　明
	赵全江	曹玉杰	孟华伟	杨景胜	肖洪伟
	包永忠	张小力	胡建民	施　芳	李　晨
	郝　阳	王学明	刘文勋	曾连生	李　翔
	马　凌	吴启维	杜国良	李　平	阎　海
	施菁华	席晓丽	郭　瑞	黄欲成	舒爱强
	薛永锋	谭浩文	吕宝华	魏文彬	
主要审查人：	李永双	郝士杰	段松涛	朱艳君	韩玉康
	张国良	纪新元	吴建生	吴庆华	王　劲
	秦庆芝	庄志伟	陈稼苗	吴锁平	唐　炎
	闫　涛	黎　智			

目 次

1 总则 …………………………………………………（1）
2 术语和符号 …………………………………………（2）
  2.1 术语 ……………………………………………（2）
  2.2 符号 ……………………………………………（4）
3 路径选择 ……………………………………………（7）
4 气象条件 ……………………………………………（9）
5 导线和地线 …………………………………………（11）
6 绝缘子和金具 ………………………………………（15）
7 绝缘配合、防雷和接地 ……………………………（17）
8 导线布置 ……………………………………………（21）
9 杆塔型式 ……………………………………………（23）
10 杆塔荷载 …………………………………………（24）
11 杆塔材料及结构 …………………………………（33）
  11.1 杆塔材料 ……………………………………（33）
  11.2 杆塔结构 ……………………………………（35）
12 基础 ………………………………………………（38）
13 对地距离及交叉跨越 ……………………………（40）
14 环境保护 …………………………………………（46）
15 劳动安全和工业卫生 ……………………………（47）
16 附属设施 …………………………………………（48）
附录 A 导线表面最大电位梯度计算 ………………（49）
附录 B 电晕无线电干扰场强计算 …………………（51）
附录 C 电晕可听噪声计算 …………………………（52）
附录 D 导线允许载流量计算 ………………………（53）

附录E	地面合成场强计算简化理论法	(55)
附录F	地面标称场强、合成场强和离子流密度计算	(56)
附录G	地线热稳定计算	(57)
附录H	弱电线路等级	(58)
附录J	公路等级	(59)

本标准用词说明 ……………………………………… (61)
引用标准名录 ………………………………………… (62)
附:条文说明 …………………………………………… (63)

Contents

1 General provisions ··· (1)
2 Terms and symbols ······································· (2)
  2.1 Terms ·· (2)
  2.2 Symbols ·· (4)
3 Routing ·· (7)
4 Meteorological conditions ······························ (9)
5 Conductor and earthwire ································ (11)
6 Insulators and fittings ···································· (15)
7 Insulation coordination, lightning protection and grounding ·· (17)
8 Conductor arrangement ································· (21)
9 Tower type ·· (23)
10 Tower load ··· (24)
11 Tower material and structure ······················· (33)
  11.1 Tower material ··· (33)
  11.2 Tower structure ·· (35)
12 Foundation ··· (38)
13 ground clearance and crossing ····················· (40)
14 Environmental protection ······························ (46)
15 Labor safety and industrial sanitation ········· (47)
16 Accessories ·· (48)
Appendix A Calculation of the maximum voltage gradient on conductor surface ························· (49)
Appendix B Calculation of the field strength of corona

	radio interference .... (51)
Appendix C	Calculation of the corona audible noise ...... (52)
Appendix D	Calculation of the conductor current carrying capacity .... (53)
Appendix E	Calculation of the ground composite electric field strength .... (55)
Appendix F	Calculation of the nominal electric field strength and composite electric field strength and ion current density above ground .... (56)
Appendix G	Calculation of the ground thermal stability .... (57)
Appendix H	Weak current line grade .... (58)
Appendix J	Road grade .... (59)
Explanation of wording in this code .... (61)
List of quoted standards .... (62)
Addition: explanation of provisions .... (63)

1 总　　则

1.0.1 为了在高压直流架空输电线路的设计中贯彻国家的基本建设方针和技术经济政策,做到安全可靠、先进适用、经济合理、资源节约、环境友好,制定本标准。

1.0.2 本标准适用于±500kV单回、同塔双回及±660kV单回高压直流架空输电线路的设计。

1.0.3 高压直流架空输电线路设计应从实际出发,结合地区特点,积极采用新技术、新工艺、新设备、新材料,推广采用节能、降耗、环保的先进技术和产品。

1.0.4 对重要线路和特殊区段线路宜采取适当加强措施,提高线路安全水平。

1.0.5 高压直流架空输电线路设计除应符合本标准外,尚应符合国家现行有关标准的规定。

2 术语和符号

2.1 术　语

2.1.1 高压直流架空输电线路　HVDC overhead transmission line

用绝缘子和杆塔将导线架设于地面上的高压直流电力线路。

2.1.2 双极　double pole

直流架空输电线路的正负极。

2.1.3 标称场强　nominal electric field strength

直流线路导线上电荷形成的电场强度（不包括空间电荷形成的电场）。

2.1.4 地面合成场强　composite electric field strength above ground

由导线所带电荷产生的电场和由空间电荷产生的电场在地面合成的地面电场强度。

2.1.5 离子流密度　ion current density

在电场的作用下，空间电荷不断移动，地面单位面积所接收到的电流。

2.1.6 弱电线路　telecommunication line

泛指各种电信号通信线路。

2.1.7 轻、中、重冰区　light/medium/heavy icing area

设计覆冰厚度为10mm及以下地区为轻冰区，设计覆冰厚度大于10mm小于20mm地区为中冰区，设计覆冰厚度为20mm及以上地区为重冰区。

2.1.8 基本风速　reference wind speed

按当地空旷平坦地面上10m高度处10min时距，平均的年最大风速观测数据,经概率统计得出50年一遇最大值后确定的风速。

2.1.9 稀有风速,稀有覆冰　rare wind speed,rare ice thickness

根据历史上记录存在,并显著地超过历年记录频率曲线的严重大风、覆冰。

2.1.10 耐张段　section

两耐张杆塔间的线路部分。

2.1.11 平均运行张力　everyday tension

年平均气温情况下,弧垂最低点的导线或地线张力。

2.1.12 等值附盐密度　equivalent salt deposit density (ESDD)

溶解后具有与从给定绝缘子的绝缘体表面清洗的自然沉积物溶解后相同电导率的氯化钠总量除以表面积,简称等值盐密。

2.1.13 不溶物密度　non-soluble deposit density(NSDD)

从给定绝缘子的绝缘体表面清洗的非可溶性残留物总量除以表面积,简称灰密。

2.1.14 冰水电导率　ice-water conductivity

绝缘子表面冰融化后的电导率。

2.1.15 居民区　residential area

工业企业地区、港口、码头、火车站、城镇等人口密集区。

2.1.16 非居民区　non-residential area

居民区以外地区,均属非居民区。虽然时常有人、有车辆或农业机械到达,但未建房屋或房屋稀少的地区,亦属非居民区。

2.1.17 交通困难地区　difficult transport area

车辆、农业机械不能到达的地区。

2.1.18 间隙　electrical clearance

线路任何带电部分与接地部分的最小距离。

2.1.19 对地距离　ground clearance

在规定条件下,任何带电部分与地之间的最小距离。

2.1.20 保护角 shielding angle

通过地线的垂直平面与地线和被保护受雷击导线的平面之间的夹角。

2.1.21 采动影响区 mining affected area

受矿产开采扰动影响的区域。

2.2 符　号

2.2.1 作用与作用效应

C——结构或构件的裂缝宽度或变形的规定限值；

f_a——修正后的地基承载力特征值；

P——基础底面处的平均压应力设计值；

P_{max}——基础底面边缘的最大压应力设计值；

S_{Ehk}——水平地震作用标准值的效应；

S_{EQK}——导线、地线张力可变荷载的代表值效应；

S_{EVK}——竖向地震作用标准值的效应；

S_{GE}——永久荷载代表值的效应；

S_{GK}——永久荷载标准值的效应；

S_{QiK}——第 i 项可变荷载标准值的效应；

S_{wk}——风荷载标准值的效应；

T——绝缘子承受的最大使用荷载、验算荷载、断线荷载、断联荷载或常年荷载；

T_E——基础上拔或倾覆外力设计值；

T_{max}——导线、地线在弧垂最低点的最大张力；

T_p——导线、地线的拉断力；

T_R——绝缘子的额定机械破坏负荷；

W_I——绝缘子串风荷载标准值；

W_o——基准风压标准值；

W_s——杆塔风荷载标准值；

W_x——垂直于导线及地线方向的水平风荷载标准值；

γ_C ——混凝土的重度设计值。

2.2.2 电工

n ——海拔1000m时每联绝缘子所需片;

n_H ——高海拔下每串绝缘子所需片数;

U ——系统标称电压;

λ ——爬电比距;

V_W ——工作电压下覆冰绝缘子串单位高度的耐受电压;

S ——冰水电导率。

2.2.3 计算系数

K_1 ——绝缘子机械强度的安全系数;

K_a ——放电电压海拔修正系数;

K_c ——导线、地线的设计安全系数;

k_i ——悬垂绝缘子串系数;

K_S ——单片绝缘子的爬电距离有效系数;

m ——海拔修正因子;

m_1 ——特征指数;

α ——风压不均匀系数;

β_c ——导线及地线风荷载调整系数;

β_z ——杆塔风荷载调整系数;

μ_S ——构件的体型系数;

μ_{SC} ——导线或地线的体型系数;

μ_Z ——风压高度变化系数;

γ_0 ——结构重要性系数;

γ_{Eh} ——水平地震作用分项系数;

γ_{EV} ——竖向地震作用分项系数;

γ_{EQ} ——导线、地线张力可变荷载的分项综合系数;

Ψ ——可变荷载组合系数;

Ψ_{wE} ——抗震基本组合中的风荷载组合系数;

γ_G ——永久荷载分项系数;

γ_{Qi}——第 i 项可变荷载的分项系数;
γ_{rf}——地基承载力调整系数;
γ_{RE}——承载力抗震调整系数;
γ_{f}——基础的附加分项系数;
γ_{k}——几何参数的标准值;
γ_{S}——土的重度设计值。

2.2.4 几何参数

A_l——绝缘子串承受风压面积计算值;
A_s——构件承受风压面积计算值;
D——导线水平线间距离;
d——导线或地线的外径或覆冰时的计算外径;分裂导线取所有子导线外径的总和;
f_c——导线最大弧垂;
H——海拔高度;
L——档距;
L_k——悬垂绝缘子串长度;
L_{01}——单片绝缘子的几何爬电距离;
L_p——杆塔的水平档距;
L_S——单片绝缘子的有效爬电距离;
S——导线与地线间的距离;
θ——风向与导线或地线方向之间的夹角。

3 路径选择

3.0.1 路径选择宜采用卫片、航片、全数字摄影测量系统和红外测量等新技术；在滑坡、泥石流、崩塌等不良地质发育地区，路径选择宜采用地质遥感技术；路径选择应综合考虑线路长度、地形地貌、地质、冰区、交通、施工、运行及地方规划等因素，进行多方案技术经济比较，做到安全可靠、环境友好、经济合理。

3.0.2 路径选择宜避开军事设施、大型工矿企业及重要设施等，符合城镇规划。当无法避开时应取得相关协议，必要时采取适当措施。

3.0.3 路径选择宜避开不良地质地带和采动影响区，当无法避让时应采取必要的措施；宜避开重冰区、导线易舞动区及影响安全运行的其他地区；宜避开原始森林、自然保护区和风景名胜区。

3.0.4 路径选择应考虑地磁台站、电台、机场、油气管线等邻近设施的相互影响。

3.0.5 路径选择宜靠近现有国道、省道、县道及乡镇公路，充分使用现有的交通条件，方便施工和运行。

3.0.6 路径走廊拥挤地段可采用同杆塔架设。

3.0.7 轻、中、重冰区的耐张段长度分别不宜大于 10km、5km、3km。当耐张段长度较长时应采取防串倒措施。在高差或档距相差悬殊的山区或重冰区等运行条件较差的地段，耐张段长度应适当缩短。输电线路与主干铁路、高速公路交叉，应采用独立耐张段。

3.0.8 山区线路在选择路径和定位时，应注意控制使用档距和相应的高差，避免出现杆塔两侧大小悬殊的档距，当无法避免时应采取必要的措施，提高安全度。

3.0.9 重冰区线路在选择路径和定位时,宜避开重污秽区、横跨垭口、风道、湖泊、水库等容易覆冰的地带及山体阴坡走线,且转角角度不宜过大。

3.0.10 有大跨越的输电线路,路径方案应结合大跨越情况,通过综合技术经济比较确定。

4 气象条件

4.0.1 设计气象条件应根据沿线气象资料的数理统计结果及附近已有线路的运行经验确定,基本风速、设计冰厚重现期为50年。

4.0.2 确定基本风速时应按当地气象台、站10min时距平均的年最大风速为样本,并宜采用极值Ⅰ型分布作为概率模型。统计风速应取以下高度:

1 一般输电线路:离地面10m;
2 大跨越:离历年大风季节平均最低水位10m。

4.0.3 山区输电线路宜采用统计分析和对比观测等方法,由邻近地区气象台、站的气象资料推算山区的最大基本风速,并应结合实际运行经验确定。当无可靠资料,宜将附近平原地区的统计值提高10%。

4.0.4 在有足够的覆冰观测资料情况下,宜采用极值Ⅰ型分布概率模型确定线路设计冰厚;甚少或无覆冰观测资料时,在搜集冰凌资料的基础上,结合线路周围地形、地物、相对高差、路径走向、覆冰气象要素及附近已建线路运行情况综合分析确定设计覆冰厚度。

4.0.5 基本风速不宜低于27m/s,必要时还宜按稀有风速条件进行验算。

4.0.6 轻冰区宜按无冰、5mm或10mm覆冰厚度设计,中冰区宜按15mm或20mm覆冰厚度设计,重冰区宜按20mm、30mm、40mm或50mm覆冰厚度等设计,必要时还宜按稀有覆冰条件进行验算。

4.0.7 除无冰区段外,地线设计冰厚应较导线冰厚增加5mm。

4.0.8 设计应加强对沿线已建线路设计、运行情况的调查,并应考虑微地形、微气象条件以及导线易舞动地区的影响。

4.0.9 大跨越基本风速,当无可靠资料,宜将附近陆上输电线路的风速统计值换算到跨越处历年大风季节平均最低水位以上10m处,并增加10%,考虑水面影响再增加10%后选用。大跨越基本风速不应低于相连接的陆上输电线路的基本风速。

4.0.10 大跨越设计冰厚,除无冰区段外,宜较附近一般输电线路的设计冰厚增加5mm。

4.0.11 设计用年平均气温应按下列规定确定:

  1 当地区年平均气温在3℃～17℃之内,宜取与年平均气温值邻近的5的倍数值;

  2 当地区年平均气温小于3℃和大于17℃时,分别按年平均气温减少3℃和5℃后,取与此数邻近的5的倍数值。

4.0.12 安装工况风速应采用10m/s,覆冰厚度应采用无冰,同时气温应按下列规定取值:

  1 最低气温为-40℃和-30℃的地区,宜采用-15℃;

  2 最低气温为-20℃的地区,宜采用-10℃;

  3 最低气温为-10℃的地区,宜采用-5℃;

  4 最低气温为-5℃的地区,宜采用0℃。

4.0.13 雷电过电压工况的气温宜采用15℃,当基本风速折算到导线平均高度处其值大于或等于35m/s时雷电过电压工况的风速宜取15m/s,否则取10m/s;校验导线与地线之间的距离时应采用无风、无冰工况。

4.0.14 操作过电压工况的气温可采用年平均气温,风速宜取基本风速折算到导线平均高度处的风速的50%,但不宜低于15m/s,且应无冰。

4.0.15 带电作业工况的风速可采用10m/s,气温可采用15℃,覆冰厚度应采用无冰。

4.0.16 覆冰同时风速轻冰区、中冰区可采用10m/s,重冰区可采用15m/s,如有实测资料,覆冰同时风速可按实测资料选取。

5 导线和地线

5.0.1 输电线路的导线截面和分裂形式宜根据系统需要按照经济电流密度选择，也可根据系统输送容量，结合不同导线的材料结构进行电气和机械特性等比选，通过年费用最小法进行综合技术经济比较后确定。对重覆冰线路还应在满足安全运行的条件下结合运行经验确定。其中导线表面最大电位梯度的计算方法可按照附录 A 的公式计算。电晕无线电干扰场强可按照附录 B 的公式计算。电晕可听噪声可按照附录 C 的公式计算。导线允许载流量可按照附录 D 的公式计算。地面标称场强、合成场强和离子流密度按照附录 E、附录 F 的公式计算。

5.0.2 海拔 1000m 及以下地区，距直流架空输电线路正极性导线对地投影外 20m 处，80%时间，80%置信度，频率 0.5MHz 时的无线电干扰限值不应超过 58dB(μV/m)。

5.0.3 海拔 1000m 及以下地区，距直流架空输电线路正极性导线对地投影外 20m 处晴天时由电晕产生的可听噪声限值(L50)不应超过 45dB(A)；海拔高度大于 1000m 且线路经过非居民区时，应控制在 50dB(A)以下。

5.0.4 直流线路下晴天时地面合成场强和离子流密度限值应符合表 5.0.4 的规定。

表 5.0.4 地面合成场强和离子流密度限值

	合成场强(kV/m)	离子流密度(nA/m^2)
居民区	25	80
一般非居民区（如跨越农田）	30	100

5.0.5 输电线路的导线截面和分裂形式应满足电磁环境限值等要求。当选用现行国家标准《圆线同心绞架空导线》GB/T 1179中的钢芯铝绞线时,海拔不超过1000m导线外径和分裂根数应不小于表5.0.5所列数值。

表5.0.5 单回路导线最小外径和分裂根数

标称电压(kV)	±500			±660		
分裂根数×导线外径(mm)	2×44.5	3×30.5	4×23.72	4×36.2	5×33.6	6×30.0

5.0.6 直流线路大跨越的导线截面宜按允许载流量选择,并应与陆上线路允许的最大输送电流相配合,通过综合技术经济比较后确定。

5.0.7 验算导线允许载流量时需满足下列要求:

1 流过线路导线的直流电流应取换流站整流阀在冷却设备投运时可允许的最大过负荷电流,在无可靠系统资料情况下,流过线路导线的最大过负荷电流可取1.1倍的额定电流;

2 钢芯铝绞线和钢芯铝合金绞线的允许温度可采用70℃(大跨越不得超过90℃),钢芯铝包钢绞线(包括铝包钢绞线)的允许温度可采用80℃(大跨越不得超过100℃);钢绞线的允许温度可采用125℃;

3 环境气温应采用最热月平均最高温度,并应考虑太阳辐射的影响。太阳辐射功率密度应采用$0.1W/cm^2$,相应风速应为0.5m/s(大跨越风速应为0.6m/s)。地线热稳定可按附录G的公式计算。

5.0.8 无冰区段,覆冰区段地线采用镀锌钢绞线时最小标称截面应分别不小$80mm^2$、$100mm^2$。地线应满足短路电流热容量要求,且表面最大场强不宜大于18kV/cm。

5.0.9 导线、地线在弧垂最低点的设计安全系数不应小于2.5,悬挂点的设计安全系数不应小于2.25。地线的设计安全系数不应小于导线的设计安全系数。

5.0.10 导线、地线在弧垂最低点的最大张力应按公式(5.0.10)计算。导线、地线在稀有风速或稀有覆冰气象条件时,弧垂最低点的最大张力不应超过导线、地线拉断力的70%。悬挂点的最大张力不应超过导线、地线拉断力的77%。

$$T_{max} \leqslant \frac{T_p}{K_c} \quad (5.0.10)$$

式中：T_{max}——导线、地线在弧垂最低点的最大张力(N)；

T_p——导线、地线的拉断力(N)；

K_c——导线、地线的设计安全系数。

5.0.11 地线(包括光纤复合架空地线)应满足电气和机械使用条件要求，可选用镀锌钢绞线或复合型绞线。验算短路热稳定时，计算时间和相应的短路电流值应根据系统条件决定，地线的允许温度宜按下列规定取值：

1 钢(铝包钢)芯铝绞线和钢(铝包钢)芯铝合金绞线可采用200℃；

2 镀锌钢绞线可采用400℃；

3 铝包钢绞线可采用300℃；

4 光纤复合架空地线的允许温度应采用产品试验保证值。

5.0.12 光纤复合架空地线结构选型应考虑耐雷击性能，重冰区还应满足脱冰跳跃及过载对其机械强度的要求。

5.0.13 导线、地线防振措施应符合下列规定：

1 铝钢截面比不小于4.29的钢芯铝绞线或镀锌钢绞线，其导线、地线平均运行张力的上限和相应的防振措施，应符合表5.0.13的规定，如有多年运行经验可不受表5.0.13的限制；

表5.0.13 导线、地线平均运行张力的上限和相应的防振措施

情　况	平均运行张力的上限(拉断力的百分数)(%)		防振措施
	钢芯铝绞线	镀锌钢绞线	
档距不超过500m的开阔地区	16	12	不需要
档距不超过500m的非开阔地区	18	18	不需要
档距不超过120m	18	18	不需要
不论档距大小	22	—	护线条

续表 5.0.13

情况	平均运行张力的上限（拉断力的百分数）(%)		防振措施
	钢芯铝绞线	镀锌钢绞线	
不论档距大小	25	25	防振锤（阻尼线）或另加护线条

注：四分裂及以上导线采用阻尼间隔棒时，档距在500m及以下可不再采用其他防振措施；阻尼间隔棒宜不等距、不对称布置，导线最大次档距不宜大于66m，端次档距宜控制在28m～35m。

2 对本标准第5.0.13条第1款以外的导线、地线，其允许平均运行张力的上限及相应的防振措施应根据当地的运行经验确定，也可采用制造厂提供的技术资料，必要时通过试验确定；

3 大跨越导线、地线的防振措施宜采用防振锤、阻尼线或阻尼线加防振锤方案，同时分裂导线宜采用阻尼间隔棒，具体设计方案宜参考运行经验或通过试验确定。

5.0.14 线路经过导线易发生舞动地区时应采取或预留防舞措施。

5.0.15 导线、地线架设后的塑性伸长，应按制造厂提供的数据或通过试验确定，塑性伸长对弧垂的影响宜采用降温法补偿。当无资料，镀锌钢绞线或铝包钢绞线的塑性伸长可采用1×10^{-4}，并降低温度10℃补偿；钢芯铝绞线的塑性伸长及降温值可按表5.0.15的规定确定。

表 5.0.15 钢芯铝绞线塑性伸长及降温值

铝钢截面比	塑性伸长	降温值(℃)
4.29～4.38	3×10^{-4}	15
5.05～6.16	$3\times10^{-4}\sim4\times10^{-4}$	15～20
7.71～7.91	$4\times10^{-4}\sim5\times10^{-4}$	20～25
11.34～14.46 及以上	$5\times10^{-4}\sim6\times10^{-4}$	25（或根据试验数据确定）

注：对铝钢截面比更大的钢芯铝绞线或钢芯铝合金绞线应由制造厂家提供塑性伸长值或降温值。

6 绝缘子和金具

6.0.1 绝缘子机械强度的安全系数应符合表 6.0.1 的规定。双联及多联绝缘子串应验算断一联后的机械强度,其荷载及安全系数按断联情况考虑。

表 6.0.1 绝缘子机械强度安全系数

情况	最大使用荷载		常年荷载	验算	断线	断联
	盘型绝缘子	棒型绝缘子				
安全系数	2.7	3	4	1.5	1.8	1.5

注:1 常年荷载是指年平均气温条件下绝缘子所承受的荷载;验算荷载是验算条件下绝缘子所承受的荷载;
    2 断线的气象条件是无风、有冰、-5℃;断联的气象条件是无风、无冰、-5℃;
    3 设计悬垂串时导线、地线张力可按本标准第 10.0.7 条的规定取值;
    4 棒型绝缘子包括复合绝缘子和瓷棒绝缘子。

6.0.2 绝缘子承受的各种荷载,应按下式计算:

$$T \geqslant T_R/K_1 \quad (6.0.2)$$

式中:T_R——绝缘子的额定机械破坏负荷(kN);

T——分别取绝缘子承受的最大使用荷载、验算荷载、断线荷载、断联荷载或常年荷载(kN);

K_1——绝缘子机械强度安全系数。

6.0.3 采用黑色金属制造的金具表面应热镀锌或采取其他相应的防腐措施。

6.0.4 金具强度的安全系数应符合下列规定:

    1 最大使用荷载情况不应小于 2.5;

    2 断线、断联、验算情况不应小于 1.5。

6.0.5 绝缘子串及金具应考虑均压和防电晕措施。有特殊要求需要另行研制或采用非标准金具时,应经试验合格后方可使用。

6.0.6 当线路与直流输电工程接地极距离小于5km时,地线(含光纤复合架空地线)应绝缘,大于或等于5km时需通过计算确定地线(含光纤复合架空地线)是否绝缘。地线绝缘时宜使用双联绝缘子串。

6.0.7 与横担连接的第一个金具应回转灵活且受力合理,其强度应高于串内其他金具强度。

6.0.8 悬垂V型绝缘子串两肢之间夹角的一半可比最大风偏角小5°~10°,或通过试验确定。

6.0.9 线路经过易舞动区应适当提高金具和绝缘子串的机械强度。

6.0.10 在易发生严重覆冰地区,宜增加绝缘子串长或采用V型串、八字串。

6.0.11 重冰区导线宜采用预绞丝护线条保护,耐张型杆塔应加跳线绝缘子串。

7 绝缘配合、防雷和接地

7.0.1 直流线路的绝缘配合,应使线路能在工作电压、操作过电压和雷电过电压等各种条件下安全可靠地运行。

7.0.2 直流线路的绝缘水平,一般应按污秽条件下的最高运行电压选择绝缘子片数,并按操作过电压和雷电过电压进行校核。对重覆冰线路还应按绝缘子串覆冰后的覆冰耐压强度进行校核。

7.0.3 直流线路的防污绝缘设计,应根据绝缘子的污耐压特性,参照审定的污区分布图和直交流积污比,结合现场实际污秽调查并考虑污秽发展情况,选择合适的绝缘子形式和片数。对无可靠污耐压特性参数的绝缘子,也可按照污秽等级按爬电比距法选择合适的绝缘子形式和片数。对重冰区绝缘子宜选用盘形绝缘子。

7.0.4 覆冰绝缘子的耐压值一般应根据试验确定。若无试验资料,在海拔1000m及以下地区,当冰水电导率小于150μs/cm时,可按下式计算:

$$V_w = 155 S^{-0.18} \qquad (7.0.4)$$

式中:V_w——工作电压下覆冰绝缘子的耐压梯度(kV/m);
S——冰水电导率(μs/cm)。

7.0.5 在海拔高度1000m以下地区,工作电压要求的"I"型及"V"型悬垂绝缘子串绝缘子片数,不宜少于表7.0.5的数值。

表7.0.5 轻污区要求的钟罩型悬垂绝缘子串片数

标称电压(kV)	±500		±660	
串型	"I"型	"V"型	"I"型	"V"型
单片绝缘子的高度(mm)	170	170	170(195)	170(195)
爬距(mm)	545	545	545(635)	545(635)
绝缘子片数(片)	40	38	53(46)	51(44)

在重冰区海拔高度1000m以下清洁地区，采用160kN和210kN钟罩型直流绝缘子"I"型串时，±500kV线路绝缘子片数不宜小于42片，±660kV线路绝缘子片数不宜小于55片。

7.0.6 耐张绝缘子串的绝缘子片数可取悬垂串同样的数值。在中、重污区，爬电比距可根据运行经验较悬垂绝缘子串适当减少。

7.0.7 复合绝缘子在轻、中、重污区其爬电比距不宜小于盘型绝缘子最小要求值的3/4，重污区可根据污耐压试验结果爬电比距还可适当减小。复合绝缘子两端均应加装均压环，其有效绝缘长度应满足雷电过电压和操作过电压的要求。

7.0.8 在海拔高度超过1000m的地区，绝缘子的片数应进行修正，修正方法可按下式确定。

$$n_H = ne^{0.1215m_1(H-1000)/1000} \qquad (7.0.8)$$

式中：n——海拔1000m时每联绝缘子所需片数；

n_H——高海拔地区每联绝缘子所需片数；

H——海拔高度(m)；

m_1——特征指数，反映气压对于污闪电压的影响程度，由试验确定。

7.0.9 海拔高度不超过1000 m的地区，在相应风偏条件下，直流线路带电部分与杆塔构件（包括拉线、脚钉等）的最小间隙，应符合表7.0.9-1、表7.0.9-2的规定。

表7.0.9-1 单回路带电部分与杆塔构件的最小间隙(m)

标称电压(kV)	±500		±660	
海拔高度(m)	500	1000	500	1000
工作电压	1.30	1.40	1.70	1.85
操作过电压1.7p.u.	2.45	2.65	3.90	4.10

表 7.0.9-2 双回路带电部分与杆塔构件的最小间隙(m)

标称电压(kV)	±500	
海拔高度(m)	500	1000
工作电压	1.30	1.40
操作过电压 1.8 p.u.	2.75	2.95
雷电过电压	4.2	

7.0.10 空气放电电压海拔修正系数 K_a,可按下式计算:

$$K_a = e^{\frac{mH}{8150}} \quad (7.0.10)$$

式中:H——海拔高度(m)($H \leqslant 2000\mathrm{m}$);

m——海拔修正因子,工作电压、雷电过电压修正因子 $m=1.0$;操作过电压修正因子见图 7.0.10 中的曲线 a (极对地绝缘)。

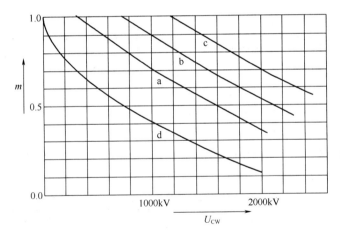

图 7.0.10 海拔修正因子 m 与电压的关系
a—相对地绝缘;b—纵向绝缘;c—相间绝缘;d—棒-板间隙

7.0.11 海拔高度 1000m 以下单回路带电作业时带电部分对杆塔接地部分的校验间隙应符合表 7.0.11 的规定。

表7.0.11 单回路带电部分与杆塔构件的最小间隙(m)

标称电压(kV)	±500	±660
带电作业	2.9	4.6

注:1 对操作人员需要停留工作的部位,还应考虑0.5m的人体活动范围;
　　2 校验带电作业间隙时,应采用下列计算条件:气温+15℃,风速10m/s。

7.0.12 直流线路的防雷设计,应根据线路电压、负荷性质和系统运行方式,结合当地已有线路的运行经验、地区雷电活动的强弱特点、地形地貌特点及土壤电阻率高低等因素,在计算耐雷水平后,通过技术经济比较,采用合理的防雷方式。

7.0.13 高压直流架空输电线路应沿全线架设双地线。杆塔上地线对导线的保护角,不宜大于表7.0.13所列值。

表7.0.13 杆塔上地线对导线的保护角

标称电压(kV)	±500		±660	
地形	平丘	山区	平丘	山区
单回路	10°	0°	0°	−10°
双回路	0°		—	

7.0.14 在一般档距的档距中央,导线与地线的距离,应按下式校验(计算条件为:气温+15℃,无风):

$$S \geq 0.012L + 1.5 \quad (7.0.13)$$

式中:S——导线与地线间的距离(m);
　　　L——档距(m)。

7.0.15 在雷季干燥时,每基杆塔不连地线的工频接地电阻,不宜大于表7.0.14所列数值。

表7.0.14 雷季干燥时每基杆塔不连地线的工频接地电阻

土壤电阻率(Ω·m)	100及以下	100以上~500	500以上~1000	1000以上~2000	2000
工频接地电阻(Ω)	10	15	20	25	30(注)

注:如土壤电阻率超过2000Ω·m,接地电阻很难降到30Ω时,可采用6根~8根总长不超过500m的放射形接地体或连续伸长接地体,其接地电阻不受限制。

7.0.16 通过耕地的输电线路,其接地体应埋设在耕作深度以下,位于居民区和水田的接地体应敷设成环形。

8 导线布置

8.0.1 单回路直流线路导线一般宜采用水平排列布置,在线路走廊特别拥挤地区,也可采用垂直排列布置;同塔双回路直流线路导线宜采用上、下双层横担布置。极导线极性排列需结合电磁环境指标、防雷性能、综合经济性能以及运行检修要求等综合考虑。

8.0.2 导线的线间距离应按下列要求确定:

1 水平线间距离宜按下式计算:

$$D = k_i L_k + \frac{\sqrt{2}U}{110} + K_f \sqrt{f_c} + A \quad (8.0.2)$$

式中:k_i——悬垂绝缘子串系数,可按表8.0.2的规定确定;

　　　D——导线水平极间距离(m);

　　　L_k——悬垂绝缘子串长度(m);

　　　U——系统标称电压(kV);

　　　f_c——导线最大弧垂(m);

　　　K_f——1000m 以下档距取 0.65,1000m～2000m 取 0.8～1.0;

　　　A——增大系数,对于 15mm 及以下覆冰,$A=0$;20mm～30mm 覆冰,$A=0.5$m;40mm 及以上覆冰,$A=1.0$m。

表 8.0.2　k_i 系数

悬垂串形式	I-I 串	I-V 串	V-V 串
k_i	0.4	0.4	0

2 导线垂直排列的垂直线间距离,宜采用公式(8.0.2)计算结果的 75%。

8.0.3 双回路不同回路的不同极导线间的水平或垂直距离,应比第 8.0.2 条的规定增加 0.5m。

8.0.4 覆冰地区上下层相邻导线间或地线与相邻导线间的水平偏移,不宜小于表 8.0.4 的规定,并应进行校验。按导线和地线不均匀脱冰时,跳跃接近及静态接近情况下,不致发生导线间和导线与地线间的危险接近。静态接近距离不应小于操作过电压的间隙值;动态接近距离不小于工频电压的间隙值。

表 8.0.4 上下层相邻导线间或地线与相邻导线间的水平偏移(m)

冰 区		水平偏移
轻冰区(10mm)		1.75
中冰区	15mm	2.5
	20mm	
重冰区	20mm	3.0
	不小于 30mm	按 8.0.4 计算方式决定

注:设计冰厚 5mm 或无冰情况,可根据运行经验适当减小。

9 杆塔型式

9.0.1 杆塔按其受力性质分为悬垂型、耐张型杆塔。悬垂型杆塔分为悬垂直线和悬垂转角杆塔；耐张型杆塔分为耐张直线、耐张转角和终端杆塔。

9.0.2 单回路杆塔导线既可水平排列,也可垂直排列；双回路杆塔导线宜采用双层横担布置。

9.0.3 杆塔外形规划与构件布置应按导线和地线排列方式,以结构简单、受力均衡、传力清晰、外形美观为原则,同时结合占地范围、杆塔材料、运行维护、施工方法、制造工艺等因素在充分进行设计优化的基础上选取技术先进、经济合理的设计方案。

9.0.4 杆塔使用宜遵守以下原则：

1 对不同类型杆塔的选用,应依据线路路径特点,按照安全可靠、经济合理、维护方便和有利于环境保护的原则进行；

2 在平地和丘陵等便于运输和施工的非农田和非繁华地段,可因地制宜地采用拉线杆塔；

3 对于山区线路杆塔,应依据地形特点,配合不等高基础,采用全方位长短腿结构型式；

4 对于线路走廊拆迁或清理费用高以及走廊狭窄的地带,可采用导线垂直排列的杆塔；

5 重冰区线路宜采用单回路杆塔；

6 悬垂直线杆塔兼小角度转角时,其转角度数不宜大于3°。悬垂转角杆塔的转角度数不宜大于20°。

10 杆塔荷载

10.0.1 荷载分类宜符合下列要求：

1 永久荷载：导线及地线、绝缘子及其附件、杆塔结构构件、杆塔上各种固定设备、基础以及土体等的重力荷载；土压力及预应力等荷载；

2 可变荷载：风和冰（雪）荷载；导线、地线及拉线的张力；安装检修的各种附加荷载；结构变形引起的次生荷载以及各种振动动力荷载。

10.0.2 杆塔的作用荷载宜分解为横向荷载、纵向荷载和垂直荷载。

10.0.3 各类杆塔均应计算线路正常运行情况、断线（含纵向不平衡张力）情况、不均匀覆冰情况和安装情况下的荷载组合，必要时尚应验算地震等稀有情况。重覆冰区线路的杆塔荷载除应执行本标准外，还应符合现行行业标准《重覆冰架空输电线路设计技术规程》DL/T 5440 的规定。

10.0.4 各类杆塔的正常运行情况，应计算下列荷载组合：

1 基本风速、无冰、未断线（包括最小垂直荷载和最大横向荷载组合）；

2 设计覆冰、相应风速及气温、未断线；

3 最低气温、无冰、无风、未断线（适用于终端和转角杆塔）。

10.0.5 悬垂型杆塔（不含大跨越悬垂型杆塔）的断线（含纵向不平衡张力）情况，应按−5℃、有冰、无风的气象条件计算下列荷载组合：

1 单回路杆塔：任意一极导线有纵向不平衡张力，地线未断；断任意一根地线，导线无纵向不平衡张力；

2 双回路杆塔:同一档内任意两极导线有纵向不平衡张力,地线未断;同一档内断任意一根地线和任意一极导线有纵向不平衡张力。

10.0.6 耐张型杆塔的断线(含纵向不平衡张力)情况应按-5℃、有冰、无风的气象条件,按下列荷载计算:

1 单回路杆塔:同一档内,断任意一根地线和任意一极导线有纵向不平衡张力;

2 双回路杆塔:同一档内,任意两极导线有纵向不平衡张力,地线未断;断任意一根地线和任意一极导线有纵向不平衡张力。

10.0.7 导线、地线的最小断线张力(含纵向不平衡张力)的取值应符合下列规定:

1 轻、中冰区导线、地线的最小断线张力(含纵向不平衡张力)的取值应符合表10.0.7-1和10.0.7-2规定的导线、地线最大使用张力的百分数,垂直冰荷载应取100%设计覆冰荷载;

2 重冰区断线张力可按表10.0.7-3覆冰率计算。

表10.0.7-1 10mm及以下冰区导线、地线最小断线张力
(含纵向不平衡张力)(%)

地形	地线	悬垂塔导线	耐张塔导线
平丘	100	20	70
山地	100	25	70

表10.0.7-2 中冰区导线、地线最小断线张力(含纵向不平衡张力)(%)

冰区	地线	悬垂塔导线	耐张塔导线
15mm	100	35	70
20mm	100	45	70

表10.0.7-3 重冰区导线、地线的断线时覆冰率(%)

冰区	地线覆冰率	悬垂塔导线覆冰率	耐张塔导线覆冰率
20mm	100	70	100
30mm	100	80	100
40mm	100	90	100
50mm	100	100	100

10.0.8 10mm冰区不均匀覆冰情况的导线、地线不平衡张力的取值应符合下列规定：

1 导线、地线不平衡张力的取值应符合表10.0.8-1规定的导线、地线最大使用张力的百分数；

2 无冰区段和5mm冰区段可不计算由不均匀覆冰情况引起的不平衡张力。垂直冰荷载应取75%设计覆冰荷载计算，相应的气象条件应按-5℃、10m/s风速的气象条件计算；

表10.0.8-1 不均匀覆冰的导线、地线最小不平衡张力(%)

悬垂型杆塔		耐张型杆塔	
导线	地线	导线	地线
10	20	30	40

3 重覆冰区产生不平衡张力的不均匀冰荷载情况按未断线、5℃、有不均匀冰、同时风速10m/s计算。不平衡张力覆冰率计算条件如表10.0.8-2所示。

表10.0.8-2 不平衡张力覆冰率计算条件表

线路等级	悬垂型杆塔		耐张型杆塔	
	覆冰率		覆冰率	
	一侧	另一侧	一侧	另一侧
一类	100	20	100	0

10.0.9 各类杆塔不均匀覆冰的不平衡张力应计算下列荷载组合：

1 轻、中冰区：

所有导线、地线同时同向有不均匀覆冰的不平衡张力；

2 重冰区：

1）所有导线、地线同时同向有不平衡张力；

2）所有导线、地线同时不同向有不平衡张力。

10.0.10 各类杆塔在断线情况下的断线张力（含纵向不平衡张力），以及不均匀覆冰情况下的不平衡张力均应按静态荷载计算。

10.0.11 防串倒的加强型悬垂型塔,除按常规悬垂型塔工况计算外,还应按所有导地线同侧有断线张力(含纵向不平衡张力)计算,断线张力(或不平衡张力)按表10.0.7。

10.0.12 各类杆塔的验算覆冰荷载情况,应按验算冰厚、－5℃、10m/s风速,所有导线、地线同时同向有不平衡张力。

10.0.13 重冰区垂直档距系数(垂直档距与水平档距之比)小于0.8的杆塔,应按导线、地线脱冰跳跃和不均匀覆冰时产生的上拔力校验导线横担和地线支架,导线上拔力取最大使用张力的5%～10%,地线上拔力可取最大使用张力的5%。

10.0.14 各类杆塔的安装情况,应按10m/s风速、无冰、相应气温的气象条件计算下列荷载组合:

1 悬垂型杆塔的安装荷载应符合下列规定:

1)提升导线、地线及其附件时的作用荷载。包括提升导、地线、绝缘子和金具等重力荷载(导线宜按1.5倍计算,地线宜按2.0倍计算)、安装工人和工具的附加荷载,动力系数采用1.1,附加荷载标准值宜按表10.0.14的规定确定。

表10.0.14 附加荷载标准值(kN)

电压等级 (kV)	导线		地线		跳线
	悬垂型杆塔	耐张型杆塔	悬垂型杆塔	耐张型杆塔	
±500	4.0	6.0	2.0	2.0	4.0
±660	8.0	12.0	4.0	4.0	6.0

2)导线及地线锚线作业时的作用荷载。锚线对地夹角不宜大于20°,正在锚线相的张力应考虑动力系数1.1。挂线点垂直荷载取锚线张力的垂直分量和导线、地线重力和附加荷载之和,纵向不平衡张力分别取导线、地线张力与锚线张力纵向分量之差。

2 耐张型杆塔的安装荷载应符合下列规定:

1)导线及地线荷载:

锚塔:锚地线时,相邻档内的导线及地线均未架设;锚导线时,在同档内的地线已架设。

紧线塔：紧地线时，相邻档内的地线已架设或未架设，同档内的导线均未架设；紧导线时，同档内的地线已架设，相邻档内的导线已架设或未架设。

2）临时拉线所产生的荷载：锚塔和紧线塔均允许计及临时拉线的作用，临时拉线对地夹角不应大于45°，其方向与导线、地线方向一致。±500kV线路：对四分裂导线的临时拉线按平衡导线张力标准值30kN考虑，六分裂及以上导线的临时拉线按平衡导线张力标准值40kN考虑，地线临时拉线按平衡地线张力标准值5kN考虑；±660kV线路：临时拉线按平衡导线张力标准值40kN考虑，地线临时拉线按平衡地线张力标准值5kN考虑。

3）紧线牵引绳产生的荷载：紧线牵引绳对地夹角不宜大于20°考虑，计算紧线张力时应计及导、地线的初伸长、施工误差和过牵引的影响。

4）安装时的附加荷载：宜按表10.0.14的规定取值。

3 导线、地线的架设次序，一般考虑先架设地线再架设导线。对于双回路应按实际需要，考虑分期架设的情况。

4 与水平面夹角不大于30°，且可以上人的铁塔构件，应能承受设计值1000N人重荷载，此时，不与其他荷载组合。

10.0.15 终端杆塔应计及换流站一侧导线及地线已架设或未架设的情况。

10.0.16 计算曲线型铁塔时应考虑沿高度方向不同时出现最大风速的不利情况。

10.0.17 位于地震烈度为9度及以上地区的各类杆塔均应进行抗震验算。

10.0.18 外壁坡度小于2‰的圆筒形结构或圆管构件，应根据雷诺数Re的不同情况进行横风向风振（旋涡脱落）校核。

10.0.19 导线及地线的水平风荷载的标准值和基准风压标准值应按下列公式计算：

$$W_x = \alpha \cdot W_0 \cdot \mu_Z \cdot \mu_{SC} \cdot \beta_c \cdot d \cdot L_p \cdot B_1 \cdot \sin^2\theta$$
(10.0.19-1)

$$W_0 = V^2/1600 \qquad (10.0.19\text{-}2)$$

式中：W_x——垂直于导线及地线方向的水平风荷载标准值(kN)；

α——风压不均匀系数，应根据设计基本风速，按照表10.0.19-1确定；校验杆塔大风工况电气间隙时，应根据水平档距按表10.0.19-2的规定确定；

β_c——导线及地线风荷载调整系数，仅用于计算作用于杆塔上的导线及地线风荷载(不含导线及地线张力弧垂计算和风偏角计算)，β_c应按照表10.0.19-1确定；

μ_Z——风压高度变化系数，基准高度为10m的风压高度变化系数按表10.0.24的规定确定；

μ_{SC}——导线或地线的体型系数：线径小于17mm或覆冰时(不论线径大小)，μ_{SC}取1.2；线径大于或等于17mm，μ_{SC}取1.1；

d——导线或地线的外径或覆冰时的计算外径；分裂导线取所有子导线外径的总和(m)；

L_p——杆塔的水平档距(m)；

B_1——导线、地线及绝缘子覆冰后风荷载增大系数，5mm冰区取1.1，10mm冰区取1.2，15mm冰区取1.3，20mm及以上冰区取1.5~2.0；

θ——风向与导线或地线方向之间的夹角(°)；

W_0——基准风压标准值(kN/m²)；

V——基准高度为10m的风速(m/s)。

表10.0.19-1 风压不均匀系数 α 和导地线风载调整系数 β_c

	基本风速 V(m/s)	≤20	20≤V<27	27≤V<31.5	≥31.5
α	杆塔荷载计算	1.00	0.85	0.75	0.70
	塔头设计摇摆角计算	1.00	0.75	0.61	0.61
β_c	杆塔荷载计算	1.00	1.10	1.20	1.30

注：对跳线 α 宜取1.2。

表 10.0.19-2 风压不均匀系数 α 随水平档距变化取值

档距(m)	≤200	250	300	350	400	450	500	≥550
α	0.80	0.74	0.70	0.67	0.65	0.63	0.62	0.61

10.0.20 杆塔风荷载的标准值,应按下式计算:

$$W_s = W_0 \cdot \mu_z \cdot \mu_s \cdot \beta_z \cdot B_2 \cdot A_s \quad (10.0.20)$$

式中:W_s——杆塔风荷载标准值(kN);

μ_s——构件的体型系数,应按本标准第 10.0.21 条的规定选用;

B_2——构件覆冰后风荷载增大系数,5mm 冰区取 1.1,10mm 冰区取 1.2,15mm 冰区取 1.6,20mm 冰区取 1.8,20mm 以上冰区取 2.0~2.5。

A_s——构件承受风压投影面积计算值(m^2);

β_z——杆塔风荷载调整系数,应按本标准第 10.0.22 条的规定选用。

10.0.21 构件的体型系数 μ_s 应符合下列规定:

1 角钢塔体型系数 μ_s 应取 $1.3(1+\eta)$,η 为塔架背风面风载降低系数,应按表 10.0.21 的规定选用;

2 钢管塔体型系数 μ_s 应按下列规定取值:

1) 当 $\mu_z \cdot W_0 \cdot d^2 \leqslant 0.003$ 时,μ_s 值按角钢塔架的 μ_s 值乘 0.8 采用,d 为钢管直径(m);

2) 当 $\mu_z \cdot W_0 \cdot d^2 \geqslant 0.021$ 时,μ_s 值按角钢塔架的 μ_s 值乘 0.6 采用;

3) 当 $0.003 < \mu_z \cdot W_0 \cdot d^2 < 0.021$ 时,μ_s 值插入法计算。

3 当铁塔为钢管和角钢等不同类型截面组成的混合结构时,应按不同类型杆件迎风面积分别计算或按照杆塔迎风面积加权平均选用 μ_s 值。

表10.0.21 塔架背风面风载降低系数 η

b/a	A_s/A	≤0.1	0.2	0.3	0.4	0.5	≥0.6
≤1		1.0	0.85	0.66	0.50	0.33	0.15
2		1.0	0.90	0.75	0.60	0.45	0.30

注：1 A—塔架轮廓面积；a—塔架迎风面宽度；b—塔架迎风面与背风面之间距离；

2 中间值可按线性插入法计算。

10.0.22 杆塔风荷载调整系数 β_z 应符合下列规定：

1 对杆塔设计时，当杆塔全高不超过60m时，杆塔风荷载调整系数 β_z（用于杆塔本身）应按表10.0.22对全高采用一个系数；当杆塔全高超过60m时，β_z 应按现行国家标准《建筑结构荷载规范》GB 50009采用由下到上逐段增大的数值，但其加权平均值不应小于1.6，对于单柱拉线杆塔不应小于1.8；

2 对基础，当杆塔全高不超过60m时，杆塔风荷载调整系数 β_z 应取1.0；当杆塔全高超过60m时宜采用由下到上逐段增大的数值，但其加权平均值对自立式铁塔不应小于1.3。

表10.0.22 杆塔风荷载调整系数 β_z

铁塔全高（m）		20	30	40	50	60
β_z	单柱拉线杆塔	1.0	1.4	1.6	1.7	1.8
	其他杆塔	1.0	1.25	1.35	1.5	1.6

注：1 中间值按插入法计算；

2 对自立式铁塔，表中数值适用于高度与根开之比为4~6。

10.0.23 绝缘子串风荷载的标准值，应按下式计算：

$$W_I = W_0 \cdot \mu_z \cdot B_1 \cdot A_I \quad (10.0.23)$$

式中：W_I——绝缘子串风荷载标准值（kN）；

A_I——绝缘子串承受风压面积计算值（m²）。

10.0.24 对于平坦或稍有起伏的地形，风压高度变化系数应根据地面粗糙度类别按表10.0.24的规定确定。

表 10.0.24 风压高度变化系数 μ_z

离地面或海平面高度(m)	地面粗糙度类别			
	A	B	C	D
5	1.17	1.00	0.74	0.62
10	1.38	1.00	0.74	0.62
15	1.52	1.14	0.74	0.62
20	1.63	1.25	0.84	0.62
30	1.80	1.42	1.00	0.62
40	1.92	1.56	1.13	0.73
50	2.03	1.67	1.25	0.84
60	2.12	1.77	1.35	0.93
70	2.20	1.86	1.45	1.02
80	2.27	1.95	1.54	1.11
90	2.34	2.02	1.62	1.19
100	2.40	2.09	1.70	1.27
150	2.64	2.38	2.03	1.61
200	2.83	2.61	2.30	1.92
250	2.99	2.80	2.54	2.19
300	3.12	2.97	2.75	2.45
350	3.12	3.12	2.94	2.68
400	3.12	3.12	3.12	2.91
≥450	3.12	3.12	3.12	3.12

注：地面粗糙度可按下列分类：

A 类指近海面和海岛、海岸、湖岸及沙漠地区；

B 类指田野、乡村、丛林、丘陵以及房屋比较稀疏的乡镇和城市郊区；

C 类指有密集建筑群的城市市区；

D 类指有密集建筑群且房屋较高的城市市区。

11 杆塔材料及结构

11.1 杆塔材料

11.1.1 钢材的材质应根据结构的重要性、结构形式、连接方式、钢材厚度和结构所处的环境及气温等条件进行合理选择。钢材等级宜采用 Q235、Q345、Q390 和 Q420，有条件时也可采用 Q460。钢材的质量应分别符合现行国家标准《碳素结构钢》GB/T 700 和《低合金高强度结构钢》GB/T 1591 的有关规定。

11.1.2 钢材质量等级应满足不低于 B 级钢的质量要求。

11.1.3 当采用 40mm 及以上厚度的钢板焊接时应采取防止钢材层状撕裂的措施。

11.1.4 结构连接宜采用 4.8、5.8、6.8、8.8 级热浸镀锌螺栓，有条件时也可使用 10.9 级螺栓，其材质和机械特性应分别符合现行国家标准《紧固件机械性能 螺栓、螺钉和螺柱》GB/T 3098.1 和《紧固件机械性能 螺母 粗牙螺纹》GB/T 3098.2 的有关规定。

11.1.5 钢材、螺栓和锚栓的强度设计值应按表 11.1.5 的规定确定。

表 11.1.5 钢材、螺栓和锚栓的强度设计值（N/mm^2）

材料	类别	厚度或直径（mm）	抗拉	抗压和抗弯	抗剪	孔壁承压
钢材	Q235	≤16	215	215	125	370
		>16~40	205	205	120	
		>40~60	200	200	115	
		>60~100	190	190	110	
	Q345	≤16	310	310	180	510
		>16~35	295	295	170	490

续表 11.1.5

材料	类别	厚度或直径 (mm)	抗拉	抗压和抗弯	抗剪	孔壁承压
钢材	Q345	>35～50	265	265	155	440
		>50～100	250	250	145	415
	Q390	≤16	350	350	205	530
		>16～35	335	335	190	510
		>35～50	315	315	180	480
		>50～100	295	295	170	450
	Q420	≤16	380	380	220	560
		>16～35	360	360	210	535
		>35～50	340	340	195	510
		>50～100	325	325	185	480
	Q460	≤16	415	415	240	595
		>16～35	395	395	230	575
		>35～50	380	380	220	560
		>50～100	360	360	210	535
镀锌粗制螺栓（C级）	4.8级	标称直径 $D \leqslant 39$	200	—	170	螺杆承压 420
	5.8级	标称直径 $D \leqslant 39$	240	—	210	520
	6.8级	标称直径 $D \leqslant 39$	300	—	240	600
	8.8级	标称直径 $D \leqslant 39$	400	—	300	800
	10.9级	标称直径 $D \leqslant 39$	500	—	380	900
锚栓	Q235钢	外径≥16	160	—	—	
	Q345钢	外径≥16	205			
	35号优质碳素钢	外径≥16	190	—	—	—
	45号优质碳素钢	外径≥16	215	—	—	—

注：1 孔壁承压强度适用于构件上螺栓端距大于或等于1.5倍螺栓直径；
    2 8.8级高强度螺栓应具有A类（塑性性能）和B类（强度）试验项目的合格证明。

11.2 杆塔结构

11.2.1 杆塔结构设计应采用以概率理论为基础的极限状态设计法,结构构件的可靠度采用可靠指标度量,极限状态设计表达式采用荷载标准值、材料性能标准值、几何参数标准值以及各种分项系数等表达。

11.2.2 结构的极限状态应满足线路安全运行的临界状态。极限状态分可为承载力极限状态和正常使用极限状态,应符合下列规定:

   1 承载力极限状态应对应于结构或构件达到最大承载力或不适合继续承载的变形;

   2 正常使用极限状态应对应于结构或构件的变形或裂缝等达到正常使用或耐久性能的规定限值。

11.2.3 结构或构件的强度、稳定和连接强度,应按承载力极限状态的要求,采用荷载的设计值和材料强度的设计值进行计算;结构或构件的变形或裂缝,应按正常使用极限状态的要求,采用荷载的标准值和正常使用规定限值进行计算。

11.2.4 结构或构件的承载力极限状态,应采用下列表达式:

$$\gamma_0(\gamma_G \cdot S_{GK} + \Psi \sum \gamma_{Qi} \cdot S_{QiK}) \leqslant R \quad (11.2.4)$$

式中:γ_0——杆塔结构重要性系数,重要线路不应小于1.1,临时线路取0.9,其他线路取1.0;

γ_G——永久荷载分项系数,对结构受力有利时不大于1.0,不利时取1.2;

γ_{Qi}——第 i 项可变荷载的分项系数,取1.4;

S_{GK}——永久荷载标准值的效应;

S_{QiK}——第 i 项可变荷载标准值的效应;

Ψ——可变荷载组合系数,正常运行情况取1.0,断线情况、安装情况和不均匀覆冰情况取0.9,验算情况取0.75;

R——结构构件的抗力设计值。

11.2.5 结构或构件的正常使用极限状态,应采用下列表达式:
$$S_{GK}+\Psi\sum S_{QiK}\leqslant C \qquad (11.2.5)$$
式中:C——结构或构件的裂缝宽度或变形的规定限值(mm)。

11.2.6 结构或构件承载力的抗震验算,应采用下列表达式:
$$\gamma_G \cdot S_{GE}+\gamma_{Eh} \cdot S_{Ehk}+\gamma_{EV} \cdot S_{EVK}+\gamma_{EQ} \cdot S_{EQK}+\Psi_{wE} \cdot S_{wk}\leqslant R/\gamma_{RE}$$
$$(11.2.6)$$

式中:γ_G——永久荷载分项系数,对结构受力有利时取 1.0,不利时取 1.2,验算结构抗倾覆或抗滑移时取 0.9。

γ_{Eh}, γ_{EV}——水平、竖向地震作用分项系数,应按表 11.2.6-1 的规定确定;

γ_{EQ}——导线、地线张力可变荷载的分项综合系数,取 $\gamma_{EQ}=0.5$;

S_{GE}——永久荷载代表值的效应;

S_{Ehk}——水平地震作用标准值的效应;

S_{EVK}——竖向地震作用标准值的效应;

S_{EQK}——导线、地线张力可变荷载的代表值效应;

S_{wk}——风荷载标准值的效应;

Ψ_{wE}——抗震基本组合中的风荷载组合系数,可取 0.3;

γ_{RE}——承载力抗震调整系数,应按表 11.2.6-2 确定。

表 11.2.6-1 地震作用分项系数

地震作用		γ_{Eh}	γ_{EV}
仅计算水平地震作用		1.3	0.0
仅计算竖向地震作用		0.0	1.3
同时计算水平与竖向地震作用	水平地震作用为主时	1.3	0.5
	竖向地震作用为主时	0.5	1.3

表 11.2.6-2 承载力抗震调整系数

材 料	结构构件	承载力抗震调整系数
钢	跨越塔	0.85
	除跨越塔以外的其他铁塔	0.80
	焊缝和螺栓	1.00

11.2.7 长期荷载效应组合(无冰、风速5m/s及年平均气温)情况,杆塔的计算挠度(不包括基础预偏),应符合表11.2.7的规定:

表11.2.7 杆塔的计算挠度(不包括基础预偏)

项 目	杆塔的计算挠度限值
悬垂直线自立式铁塔	$3h/1000$
悬垂直线拉线杆塔的杆(塔)顶	$4h/1000$
悬垂直线拉线杆塔,拉线点以下杆(塔)身	$2h/1000$
悬垂转角自立式铁塔	$5h/1000$
耐张塔及终端自立式铁塔	$7h/1000$

注:1 h 为杆塔最长腿基础顶面起至计算点的高度;
    2 设计时应根据杆塔的特点提出施工预偏的要求。

11.2.8 钢结构构件允许最大长细比应符合表11.2.8的规定:

表11.2.8 钢结构构件允许最大长细比

项 目	钢结构构件允许最大长细比
受压主材	150
受压材	200
辅助材	250
受拉材(预拉力的拉杆可不受长细比限制)	400

11.2.9 杆塔铁件应采用热浸镀锌防腐,也可采用其他等效的防腐措施。

11.2.10 受剪螺栓的螺纹不应进入剪切面。

11.2.11 全塔所有螺栓应采取防松措施;受拉螺栓及位于导线横担、地线顶架等易振动部位的螺栓应采取双帽防松措施;塔体靠近地面部分的连接螺栓,应采取防御措施。

12 基 础

12.0.1 基础型式的选择应结合线路沿线地质、施工条件和杆塔的特点作综合考虑,并满足以下要求:

1 当有条件时,宜采用原状土基础;一般情况下,铁塔可以选用现浇钢筋混凝土基础或混凝土基础;岩石地区可采用锚筋基础或岩石嵌固基础;软土地基可采用大板基础、桩基础或沉井等基础;运输或浇制混凝土有困难的地区,可采用预制装配式基础;

2 山区线路应采用全方位长短腿铁塔和不等高基础配合使用的方案。

12.0.2 基础稳定、基础承载力采用荷载的设计值进行计算;地基的不均匀沉降、基础位移等采用荷载的标准值进行计算。

12.0.3 基础的上拔和倾覆稳定,应采用下列极限状态表达式:

$$\gamma_f \cdot T_E \leqslant A(\gamma_k, \gamma_S, \gamma_C \cdots) \qquad (12.0.3)$$

式中: γ_f ——基础的附加分项系数,应按照表12.3的规定确定;

T_E ——基础上拔或倾覆外力设计值;

$A(\gamma_k, \gamma_S, \gamma_C \cdots)$ ——基础上拔或倾覆的承载力函数;

γ_k ——几何参数的标准值;

$\gamma_S 、 \gamma_C$ ——土及混凝土的重度设计值(取土及混凝土的实际重度)。

表 12.0.3 基础附加分项系数 γ_f

杆塔类型	上拔稳定		倾覆稳定
	重力式基础	其他各种类型基础	各类型基础
悬垂直线杆塔	0.9	1.10	1.10
耐张直线(0°转角)及悬垂转角杆塔	0.95	1.30	1.30
耐张转角、终端及大跨越杆塔	1.10	1.60	1.60

12.0.4 基础底面压应力,应采用下列极限状态表达式:
    1 当轴心荷载作用时:
$$P \leqslant f_a/\gamma_{rf} \quad (12.0.4\text{-}1)$$
式中:P——基础底面处的平均压应力设计值;
       f_a——修正后的地基承载力特征值;
       γ_{rf}——地基承载力调整系数,宜取 $\gamma_{rf}=0.75$。
    2 当偏心荷载作用时,除应按式(12.0.4-1)计算外,还应按下式计算:
$$P_{max} \leqslant 1.2 f_a/\gamma_{rf} \quad (12.0.4\text{-}2)$$
式中:P_{max}——基础底面边缘的最大压应力设计值。

12.0.5 现浇基础的混凝土强度等级不应低于C20级。

12.0.6 岩石基础的地基应逐基鉴定。

12.0.7 基础的埋深应大于0.5m。冻土地区的基础埋深应遵照现行行业标准《冻土地区建筑地基基础设计规范》JGJ 118 的有关要求确定。

12.0.8 在腐蚀地区,应对基础做相应的防腐处理。

12.0.9 跨越河流或位于洪泛区的基础,应收集水文地质资料,考虑冲刷作用,对可能被洪水淹没的基础,尚应计及漂浮物的撞击作用,并应采取适当的防护措施。

12.0.10 当位于地震烈度为7度以上的地区且场地为饱和砂土或饱和粉土时,应考虑地基液化的可能性,并采取必要的地基稳定处理或基础抗震措施。

12.0.11 转角塔、终端塔的基础应采取预偏措施。

13 对地距离及交叉跨越

13.0.1 导线对地面、建筑物、树木、铁路、道路、河流、管道、索道及各种架空线路的距离，应根据导线运行温度+40℃（若导线按允许温度+80℃设计时，导线运行温度取+50℃）情况或覆冰无风情况求得的最大弧垂计算垂直距离，根据最大风情况或覆冰情况求得的最大风偏进行风偏校验。重覆冰区的线路，还应计算导线不均匀覆冰、验算覆冰情况下的弧垂增大。

注：1 计算上述距离时，可不考虑由于电流、太阳辐射等引起的弧垂增大，但应计及导线架线后塑性伸长的影响和设计、施工的误差；
　　2 大跨越的导线弧垂应按导线实际能够达到的最高温度计算；
　　3 输电线路与铁路、高速公路及一级公路交叉时，如交叉档距超过200m，最大弧垂应按导线允许温度计算，导线的允许温度可按不同要求取70℃或80℃计算，且跨越铁路时需要考虑验算覆冰工况。

13.0.2 导线对地面的最小距离，以及与山坡、峭壁、岩石之间的最小净空距离应符合下列规定：

　　1 在最大计算弧垂情况下，导线与地面的最小距离应符合表13.0.2-1规定的数值。

表13.0.2-1 导线对地面最小距离（m）

标称电压（kV）		±500						±660
导线截面（mm²） 地区		4×300	4×400	4×500	4×630	4×720	4×900	4×1000
居民区		16.0	16.0	15.5	15.5	15.0	15.0	18.0
非居民区	农业耕作区	12.5	12.5	12.0	12.0	11.5	11.5	16.0
	人烟稀少的非农业耕作区	9.5						14.0
	交通困难地区	9.0						13.5

注：表中数值用于单回路及采用十－／－十极性布置的同塔双回路。

2 导线与山坡、峭壁、岩石之间的最小净空距离,在最大计算风偏情况下,应符合表 13.0.2-2 规定的数值。

表 13.0.2-2 导线与山坡、峭壁、岩石之间的最小净空距离(m)

标称电压(kV) 线路经过地区	±500	±660
步行可以到达的山坡	9.0	11.0
步行不能到达的山坡、峭壁和岩石	6.5	8.5

13.0.3 线路邻近民房时,房屋所在地面湿导线情况下未畸变合成电场不应超过 15kV/m。

13.0.4 线路不应跨越长期住人和屋顶为可燃材料的建筑物。对不长期住人的耐火屋顶建筑物,如必须跨越时应与有关方面协商同意。导线与建筑物之间的距离应符合以下规定:

1 在最大计算弧垂情况下,导线与建筑物之间的最小垂直距离应符合表 13.0.4-1 规定的数值。

表 13.0.4-1 导线与建筑物之间的最小垂直距离

标称电压(kV)	±500	±660
垂直距离(m)	9.0	14.0

2 在最大计算风偏情况下,线路边导线与建筑物之间的最小净空距离应符合表 13.0.4-2 规定的数值。

表 13.0.4-2 导线与建筑物之间的最小净空距离

标称电压(kV)	±500	±660
距离(m)	8.5	13.5

3 无风情况下,边导线与建筑物之间的最小水平距离应符合表 13.0.4-3 规定的数值。

表 13.0.4-3 边导线与建筑物之间的最小水平距离

标称电压(kV)	±500	±660
距离(m)	5	6.5

13.0.5 线路经过经济作物和集中林区时,宜采用加高杆塔跨越林木不砍通道的方案,并应符合下列规定:

1 导线与树木(考虑自然生长高度)之间的最小垂直距离,应符合表13.0.5-1所列数值。

表13.0.5-1 导线与树木之间的最小垂直距离

标称电压(kV)	±500	±660
垂直距离(m)	7.0	10.5

2 在最大计算风偏情况下,导线与树木(考虑自然生长高度)之间的最小净空距离,应符合表13.0.5-2规定的数值。

表13.0.5-2 导线与树木之间的最小净空距离

标称电压(kV)	±500	±660
净空距离(m)	7.0	10.5

3 导线与果树、经济作物、城市绿化灌木及街道行道树木之间的最小垂直距离,应符合表13.0.5-3规定的数值。

表13.0.5-3 导线与果树、经济作物、城市绿化灌木及街道树之间的最小垂直距离

标称电压(kV)	±500	±660
垂直距离(m)	8.5	12.0

4 当不满足第1、2款要求的树木应砍伐,对超过主要树种自然生长高度的个别树木也应砍伐。

5 当砍伐通道时,通道净宽度不应小于线路宽度加通道附近主要树种自然生长高度的2倍。通道附近超过主要树种自然生长高度的非主要树种树木应砍伐。

13.0.6 直流线路跨越弱电线路(不包括光缆和埋地电缆)时,其交叉角应符合表13.0.6-1的要求。弱电线路等级分类宜按附录H执行。

表13.0.6-1 直流线路与弱电线路的交叉角

弱电线路等级	一级	二级	三级
交叉角	≥45°	≥30°	不限制

13.0.7 直流线路与甲类火灾危险性的生产厂房,甲类物品库房,易燃、易爆材料堆场以及可燃或易燃、易爆液(气)体储罐的防火间距,不应小于杆塔全高加 3m,还应符合其他的相关规定。在通道非常拥挤的特殊情况下,可与相关部门协商,在适当提高防护措施,满足防护安全要求后,可相应压缩防护间距。

13.0.8 直流线路与铁路、道路、河流、管道、索道及各种架空线路交叉或接近,应满足以下要求:

1 直流线路与铁路、道路、河流、管道、索道及各种架空线路交叉的最小垂直距离,应符合表 13.0.8-1 规定的数值。

表 13.0.8-1 直流线路与铁路、道路、河流、管道、索道及各种架空线路交叉的最小垂直距离

项 目		垂直距离(m)	
		±500kV	±660 kV
铁路	至轨顶	16	18
	至承力索或接触线	6(8.5)	8(10.5)
公路	至路面	16	18
通航河流	至五年一遇洪水位	9	12.5
	至最高航行水位桅顶	6	8
不通航河流	百年一遇洪水位	8	10
	冬季至冰面	12	16
弱电线	至被跨越物	8.5	14
电力线	至被跨越物(杆顶)	6(8.5)	8(10.5)
特殊管道	至管道任何部分	9	14
索道	至索道任何部分	6	8

注:垂直距离中,括号内的数值用于跨杆(塔)顶。

2 直流线路与铁路、道路、河流、管道、索道及各种架空线路的最小水平接近距离,应符合表 13.0.8-2 的规定。

表13.0.8-2 直流线路与铁路、道路、河流、管道、
索道及各种架空线路的最小水平接近距离

项 目			最小水平距离(m)	
			±500kV	±660kV
铁路	杆塔外缘至轨道中心	交叉	30	35或按协议取值
		平行	最高塔高加3.1m	最高塔高加3.1m
公路	交叉	杆塔外缘至路基边缘	8.0或按协议取值	15.0或按协议取值
	平行 边导线至路基边缘	开阔地区	最高塔高	最高塔高
		路径受限制地区	8.0或按协议取值	10.5或按协议取值
通航河流 不通航河流	边导线至斜坡上缘(线路与拉纤小路平行)		最高塔高	最高塔高
弱电线	与边导线间(平行)	开阔地区	最高塔高	最高塔高
		路径受限制地区(最大风偏情况下)	8	11
电力线	与边导线间(平行)	开阔地区	最高塔高	最高塔高
		路径受限制地区	边导线间13,导线风偏至邻塔8.5	边导线间18,导线风偏至邻塔11
特殊管道、索道	边导线至管、索道任何部分	开阔地区	最高塔高	最高塔高
		路径受限制地区(最大风偏情况下)	9	13

注:1 高速公路路基边缘指公路下缘的排水沟;
2 线路跨越高速铁路,需满足电气化铁路交叉跨越要求及相关部门协议要求;
3 在通道非常拥挤的特殊情况下,可与相关部门协商,在适当提高防护措施,满足防护安全要求后,可相应压缩本标准的水平间距。

13.0.9 重覆冰区连续档的一般交叉跨越,以及通过覆冰期间人

员经常活动的场所,应按不均匀冰荷载情况校验弧垂增大。不均匀冰荷载条件:跨越档有50%设计冰荷载,其余不覆冰、-5℃、无风。

采用孤立档的重要交叉跨越,应按验算冰情况校验与被跨越物的最小垂直距离。

采用非孤立档的重要交叉跨越,应按邻档断线情况校验与被跨越物的最小垂直距离。

13.0.10 线路跨越铁路,高速公路,一级公路,电车道,一、二级通航河流,110kV及以上电力线,特殊管道,索道等重要交叉跨越时,宜采用双挂点、双联串绝缘子,且导地线不允许接头。公路等级分类宜按附录J执行。

14 环境保护

14.0.1 输电线路设计应符合国家环境保护、水土保持和生态环境保护的现行有关标准的规定。

14.0.2 输电线路的设计中应对电磁干扰、噪声、水土保持等污染因子采取必要的防治措施,减少其对周围环境的影响。

14.0.3 输电线路无线电干扰限值、可听噪声限值、合成场强、离子流密度应满足本标准第5.0.2条~第5.0.4条和第13.0.3条的相应要求。

14.0.4 对沿线相关的弱电线路和无线电设施应进行通信保护设计并采取相应措施处理。

14.0.5 山区线路应采用全方位长短腿加不等高基础相组合,以适应地形发生的变化,减少塔位处植被的破坏。

14.0.6 为防止水土流失,应采取必要的措施,减小对环境的破坏。

15 劳动安全和工业卫生

15.0.1 输电线路设计应满足有关防火、防爆、防尘、防毒及劳动安全与卫生等方面国家现行有关标准的要求。

15.0.2 杆塔设计应设有高空作业工作人员的安全保护措施。

15.0.3 施工时应针对邻近输电线路可能产生的感应电压采取安全保护措施。

15.0.4 当对平行和交叉的其他输电线路、通信线等邻近线路存在感应电压影响时,邻近线路在施工、运行和维修时应做好安全措施。

16 附属设施

16.0.1 当新建输电线路在交通困难地区设巡线站时,其维护半径可取 40km~50km,如沿线交通方便或该地区已有生产运行机构,也可不设巡线站。巡线站应配备必要的备品备件、检修材料、维护检修工器具以及交通工具。

16.0.2 杆塔上的固定标志应符合下列要求:

  1 所有杆塔均应标明线路的名称、代号和杆塔号;

  2 所有耐张型杆塔、分支杆塔前后各一基杆塔上,均应有明显的极性标志;

  3 在双回路杆塔上或在同一走廊内的平行线路的杆塔上,均应标明每一线路的名称和代号;

  4 高杆塔应按航空部门的规定装设航空障碍标志;

  5 杆塔上固定标志的尺寸、颜色和内容还应符合运行部门的要求;

  6 跨越铁路时杆塔处应设置标志牌。

16.0.3 新建输电线路宜根据现有运行条件配备适当的通信设施。

16.0.4 一般线路杆塔登高设施可选用脚钉或直爬梯,并可设置简易的检修人员休息平台。大跨越线路杆塔应设置旋转爬梯,必要时可增设攀爬机或电梯等设施。

16.0.5 杆塔可安装高空作业人员的防坠落装置。

附录A 导线表面最大电位梯度计算

A.0.1 导线表面最大电位梯度按国际大电网会议第36分委会推荐方法计算,应符合下列规定:

1 分裂导线的等效直径由下式决定:

$$d_{eq} = D\sqrt[n]{\frac{Nd}{D}} \quad (A.0.1\text{-}1)$$

式中:D——通过n根次导线中心的圆周直径(cm);
N——次导线的根数;
d——次导线的直径(cm)。

2 用麦克斯威电位系数法决定每极导线的等效总电荷Q:

$$[V] = [P][Q] \quad (A.0.1\text{-}2)$$

式中:$[V]$——极导线电位矩阵(kV);
$[P]$——电位系数矩阵(1/m);
$[Q]$——等效电荷矩阵(mC)。

3 导线的平均表面电位梯度为:

$$g = Q/(\pi\varepsilon_0 dn) \quad (kV/m) \quad (A.0.1\text{-}3)$$

式中:ε_0——空气介电常数。

4 导线表面最大电位梯度为:

$$g_{max} = g[1+(n-1)(d/D)] \quad (kV/cm) \quad (A.0.1\text{-}4)$$

5 对于双极直流线路可以用每千伏梯度的梯度因子G'(kV/cm/kV)来近似计算导线表面电位梯度:

$$G' = \frac{1+(n-1)\dfrac{r}{R}}{n \cdot r \cdot \ln\left[\dfrac{2H}{(n \cdot r \cdot R^{n-1})\sqrt{\dfrac{4H^2}{S^2}+1}}\right]} \quad (A.0.1\text{-}5)$$

式中:G——导线表面电位梯度,$G = VG'$(kV/cm);
r——次导线半径(cm);
R——通过 n 根次导线中心圆周的半径(cm);
H——导线的平均高度(导线对地最小高度加 1/3 弧垂)(cm);
S——正极与负极导线之间的距离(cm);
n——次导线数(分裂导线分裂数)。

附录 B 电晕无线电干扰场强计算

B.0.1 国际无线电干扰特别委员会(CISPR)推荐的电晕无线电干扰场强应按下式计算：

$$E = 38 + 1.6(g_{max} - 24) + 46 \lg r + 5 \lg n + \Delta E_f + 33 \lg \frac{20}{D} + \Delta E_w \quad (B.0.1)$$

式中：E——电晕无线电干扰场强，$dB(\mu V/m)$；

g_{max}——导线表面最大场强(kV/cm)；

r——子导线半径(cm)；

n——为分裂导线数；

D——为距正极性导线的距离(适用于 $D<100m$)；

ΔE_w——气象修正项；

ΔE_f——干扰频率修正项。

注：海拔500m以上需进行海拔修正。

附录 C 电晕可听噪声计算

C.0.1 电晕可听噪声 AN 可按下列两个公式之一进行计算：

1 电晕可听噪声可按下式计算：
$$AN = -133.4 + 86\lg g_{max} + 40\lg d_{eq} - 11.4\lg D \quad (C.0.1)$$

式中：g_{max}——为导线表面最大电场强度（kV/cm）；

$\quad d_{eq} = 0.66 n^{0.64} d \ (n>2)$；

$\quad d$——子导线直径（mm）；

$\quad n$——子导线根数；

$\quad D$——离正极导线的距离（m）。

以上公式为春秋季节好天气的 $L50$ 值，对夏、冬季节相应增加或减少 2dB(A)；对坏天气可减少 6dB(A)～11dB(A)。

2 电晕可听噪声也可按下式计算：
$$AN = 56.9 + 124\lg(E/25) + 25\lg(d/4.45) + 18\lg(n/2) -$$
$$10\lg(D_r) - 0.02 D_r + K_n \quad (C.0.1\text{-}2)$$

式中：E——导线表面最大电场强度（kV/cm）；

$\quad n$——分裂导线数；

$\quad d$——子导线直径（cm）；

$\quad D_r$——计算点至正极导线距离（m）；

$\quad K_n$——与分裂根数有关，当 $n \geqslant 3$ 时，$K_n=0$；当 $n=2$ 时，$K_n=2.6$；当 $n=1$ 时，$K_n=7.5$。

附录 D 导线允许载流量计算

D.0.1 导线允许载流量按下式进行计算：

验算导线载流量时的环境气温采用最高气温月的最高平均气温、太阳辐射功率密度采用 $0.1W/cm^2$，一般线路的计算风速采用 $0.5m/s$ 大跨越由于导线平均高度在 30m 以上，风速要相应增加，故取 $0.6m/s$。计算导线允许载流量可用下列公式

$$I = \sqrt{(W_R + W_F - W_S)/R'_t} \quad (D.0.1-1)$$

式中：I——允许载流量(A)；
  W_R——单位长度导线的辐射散热功率(W/m)；
  W_F——单位长度导线的对流散热功率(W/m)；
  W_S——单位长度导线的日照吸热功率(W/m)；
  R'_t——允许温度时导线的直流电阻(Ω/m)。

辐射散热功率 W_R 的算式：

$$W_R = \pi D E_1 S_1 [(\theta + \theta_a + 273)^4 - (\theta_a + 273)^4]$$
$$(D.0.1-2)$$

式中：D——导线外径(m)；
  E_1——导线表面的辐射散热系数，光亮的新线为 $0.23\sim0.43$；旧线或涂黑色防腐剂的线为 $0.90\sim0.95$；
  S_1——斯特凡-包尔茨曼常数，为 $5.67\times10^{-8}(W/m^2)$；
  θ——导线表面的平均温升(℃)；
  θ_a——环境温度(℃)。

对流散热功率 W_F 的算式：

$$W_F = 0.57\pi\lambda_f \theta Re^{0.485} \quad (D.0.1-3)$$

式中：λ_f——导线表面空气层的传热系数(W/m℃)；
  Re——雷诺数。

$$\lambda_f = 2.42 \times 10^{-2} + 7(\theta_a + \theta/2) \times 10^{-5} \quad \text{(D.0.1-4)}$$

$$Re = VD/\nu \quad \text{(D.0.1-5)}$$

式中：V——垂直于导线的风速(m/s)；

ν——导线表面空气层的运动黏度(m^2/s)。

$$\nu = 1.32 \times 10^{-5} + 9.6(\theta_a + \theta/2) \times 10^{-8} \quad \text{(D.0.1-6)}$$

日照吸热功率 W_S 的算式：

$$W_S = \alpha_s J_s D \quad \text{(D.0.1-7)}$$

式中：α_s——导线表面的吸热系数，光亮的新线为 $0.35 \sim 0.46$；旧线或涂黑色防腐剂的线为 $0.9 \sim 0.95$；

J_s——日光对导线的日照强度(W/m^2)，当天晴、日光直射导线时，可采用 $1000W/m^2$。

附录 E 地面合成场强计算简化理论法

E.0.1 地面合成场强按下式进行计算：
1 基本假设：
    1）空间电荷只影响场强幅值而不影响其方向，即 Deutecsh 假设：

$$E_s = AE \qquad (\text{E.0.1-1})$$

式中：E_s——空间某点的合成场强（kV/m）;
    E——标称场强（kV/m）;
    A——标量函数。
    2）电晕后导线表面电位保持在起晕电压值 U_0，当导线对地电位为 U 时，导线表面的 A 值为 A_e，见式（E.0.1-2）

$$A_e = U_0/U \qquad (\text{E.0.1-2})$$

2 采用逐步镜像法或模拟电荷法，沿无空间电荷场强的电力线计算无空间电荷下场强 E。

3 A 及空间电荷密度 ρ 按式（E.0.1-3）和式（E.0.1-4）计算：

$$A^2 = A_e^2 + \frac{2\rho_e A_e}{\varepsilon_0} \int_\phi^U \frac{\mathrm{d}\phi}{E^2} \qquad (\text{E.0.1-3})$$

$$\frac{1}{\rho^2} = \frac{1}{\rho_e^2} + \frac{2}{\varepsilon_0 \rho_e A_e} \int_\phi^U \frac{\mathrm{d}\phi}{E^2} \qquad (\text{E.0.1-4})$$

式中：ρ_e——导线表面电荷密度，可用迭代法求出；
    ρ——空间电荷密度（nc/m³）;
    ε_0——空气介电常数；
    η——积分变量。

4 解式（E.0.1-3）和式（E.0.1-4）便可计算 E_s。

附录 F 地面标称场强、合成场强和离子流密度计算

F.0.1 地面标称场强、合成场强和离子流密度按下式进行计算：

1 标称场强 E_e(kV/m)：

$$E_e = K_e \times V = \frac{2 \times H}{\ln \frac{4H}{D_{eq}} - \ln \frac{\sqrt{P^2 + 4H_2}}{P}} \times$$

$$\left[\frac{1}{H^2 + (X + P/2)^2} - \frac{1}{H^2 + (X - P/2)^2} \right] \times V$$

(F.0.1-1)

2 合成场强 $E(x)$(kV/m)：

$$E(\pm x) = \frac{V}{H}(\pm x) \left[1 - f\left(\frac{V}{V_i}\right) \times \frac{V}{V_i} \left(1 - \frac{K_e(\pm x) \times H}{F(\pm x)}\right) \right]$$

$$E(\pm x) = E_S(\pm x) \left[1 - f\left(\frac{V}{V_i}\right) \times \frac{V}{V_i} \left(1 - \frac{K_e(\pm x) \times H}{F(\pm x)}\right) \right]$$

(F.0.1-2)

式中，$f\left(\frac{V}{V_i}\right)$、$F(x)$ 均由查曲线获得。

3 离子流密度 $J(x)$：

$$J(x) = \frac{x^2}{H^2} \times C(x) \left[1 - \gamma\left(\frac{V}{V_i}\right) \times \frac{V_i}{V} \left(1 - \left(1 - \frac{V_i}{V}\right)^2\right) \right]$$

(F.0.1-3)

式中，$\gamma\left(\frac{V}{V_i}\right)$ 由查曲线获得。

附录 G 地线热稳定计算

G.0.1 地线验算短路热稳定允许电流 I 按下式计算：

$$I = \sqrt{\frac{C}{0.24 a_o R_o T} \ln \frac{a_o(t_2 - 20) + 1}{a_o(t_1 - 20) + 1}} \quad (G.0.1)$$

式中：I——地线验算短路热稳定允许电流(A)；

C——载流部分的热容量(cal/℃·cm)；

a_o——载流部 20℃时的电阻温度系数(℃$^{-1}$)；

R_o——载流部 20℃时的电阻(Ω/cm)；

T——计算短路热稳定的时间(s)；

t_1——地线初始温度(℃)；

t_2——地线短路热稳定允许温度(℃)。

式(G.0.1)按导线由单一材料构成,短路时产生的热能不向外部扩散导出。

附录 H 弱电线路等级

H.0.1 一级弱电线路——首都与各省(市)、自治区所在地及其相互间联系的主要线路;首都至各重要工矿城市、海港的线路以及由首都通达国外的国际线路;由邮电部指定的其他国际线路和国防线路;铁道部与各铁路局及各铁路局之间联系用的线路;以及铁路信号自动闭塞装置专用线路。

H.0.2 二级弱电线路——各省(市)、自治区所在地与各地(市)、县及其相互间的通信线路;相邻两省(自治区)各地(市)、县相互间的通信线路;一般市内电话线路;铁路局与各站、段及站段相互间的线路,以及铁路信号闭塞装置的线路。

H.0.3 三级弱电线路——县至区、乡的县内线路和两对以下的城郊线路;铁路的地区线路及有线广播线路。

附录 J 公路等级

J.0.1 高速公路：

高速公路为专供汽车分向、分车道行驶并应全部控制出入的多车道公路。

四车道高速公路应能适应将各种汽车折合成小客车的年平均日交通量 25000 辆～55000 辆；

六车道高速公路应能适应将各种汽车折合成小客车的年平均日交通量 45000 辆～85000 辆；

八车道高速公路应能适应将各种汽车折合成小客车的年平均日交通量 60000 辆～100000 辆。

J.0.2 一级公路：

一级公路为供汽车分向、分车道行驶，并可根据需要控制出入的多车道公路。

四车道一级公路应能适应将各种汽车折合成小客车的年平均日交通量 15000 辆～30000 辆；

六车道一级公路应能适应将各种汽车折合成小客车的年平均日交通量 25000 辆～55000 辆。

J.0.3 二级公路：

二级公路为供汽车行驶的双车道公路。

双车道二级公路应能适应将各种汽车折合成小客车的年平均日交通量 5000 辆～15000 辆。

J.0.4 三级公路：

三级公路为主要供汽车行驶的双车道公路。

双车道三级公路应能适应将各种汽车折合成小客车的年平均日交通量 2000 辆～6000 辆。

J.0.5 四级公路:

四级公路为主要供汽车行驶的双车道或单车道公路。

双车道四级公路应能适应将各种汽车折合成小客车的年平均日交通量2000辆以下;

单车道四级公路应能适应将各种汽车折合成小客车的年平均日交通量400辆以下。

本标准用词说明

1 为便于在执行本标准条文时区别对待,对要求严格程度不同的用词说明如下:
　1)表示很严格,非这样做不可的:
　　正面词采用"必须",反面词采用"严禁";
　2)表示严格,在正常情况下均应这样做的:
　　正面词采用"应",反面词采用"不应"或"不得";
　3)表示允许稍有选择,在条件许可时首先应这样做的:
　　正面词采用"宜",反面词采用"不宜";
　4)表示有选择,在一定条件下可以这样做的,采用"可"。

2 条文中指明应按其他有关标准执行的写法为:"应符合……的规定"或"应按……执行"。

引用标准名录

《建筑结构荷载规范》GB 50009
《碳素结构钢》GB/T 700
《圆线同心绞架空导线》GB/T 1179
《低合金高强度结构钢》GB/T 1591
《紧固件机械性能 螺栓 螺钉和螺柱》GB/T 3098.1
《紧固件机械性能 螺母 粗牙螺纹》GB/T 3098.2

中华人民共和国电力行业标准

高压直流架空输电线路
设计技术规程

DL 5497—2015

条文说明

制定说明

《高压直流架空输电线路设计技术规程》DL 5497—2015，经国家能源局2015年4月2日以第3号公告批准发布。

本标准编制遵循的主要原则：

1. 贯彻国家法律、法规和电力建设政策；

2. 坚持科学发展，广泛深入调研，吸取电力建设工程实践经验，广泛征求相关单位意见；

3. 保证高压直流输电线路的安全可靠、经济合理；总结国内外特高压的科研成果，并采纳了《110kV～750kV架空输电线路设计规范》GB 50545的有关成熟条文；

4. 考虑2008年初冰灾影响，标准还针对2008年初我国南方地区电网覆冰灾害经验教训进行了认真仔细的研究和分析，调整了现有标准冰区的划分，适当提高了电网抗冰设防的要求。

为便于广大设计、施工、科研、学校等单位有关人员在使用本标准时能正确理解和执行条文规定，编制组按章、节、条顺序编制了本标准的条文说明，对条文规定的目的、依据以及执行中需注意的有关事项进行了说明，还着重对强制性条文的强制性理由作了解释。但是本条文说明不具备与标准正文同等的法律效力，仅供使用者作为理解和把握标准规定的参考。

目　次

1 总　则 …………………………………………（69）
2 术语和符号 ……………………………………（70）
　2.1 术语 …………………………………………（70）
　2.2 符号 …………………………………………（70）
3 路径选择 ………………………………………（71）
4 气象条件 ………………………………………（73）
5 导线和地线 ……………………………………（78）
6 绝缘子和金具 …………………………………（106）
7 绝缘配合、防雷和接地 ………………………（110）
8 导线布置 ………………………………………（129）
9 杆塔型式 ………………………………………（132）
10 杆塔荷载 ………………………………………（134）
11 杆塔材料及结构 ………………………………（141）
　11.1 杆塔材料 ……………………………………（141）
　11.2 杆塔结构 ……………………………………（142）
12 基　础 …………………………………………（145）
13 对地距离及交叉跨越 …………………………（148）
14 环境保护 ………………………………………（176）
15 劳动安全和工业卫生 …………………………（178）
16 附属设施 ………………………………………（179）
附录J 公路等级 …………………………………（180）

1 总 则

1.0.1 本条明确强调了高压直流架空输电线路的设计要求,提出了输电线路设计工作的基本原则,要求协调好各方面的相互关系,如安全与经济、基本建设与生产运行、近期需要和远景规划、线路建设和周围环境等,目的是以合理的投资使设计的输电线路能获得最佳的综合效益。

1.0.2 本条为本标准适用范围。本标准适用于新建±500kV、±660kV输电线路设计。

1.0.3 根据电网建设的发展,本标准还明确了依靠技术进步,合理利用资源,达到降低消耗、提高资源的利用效率的目的。

1.0.4 根据2008年初我国南方地区发生的严重冰灾,为确保供电设施的安全可靠,对重要线路和特殊区段线路宜采取适当加强措施。

对重要线路:重要性系数取1.1,使其安全等级在原标准上有所提高;对易覆冰区段宜采取覆冰设防加强措施,必要时按照稀有覆冰条件进行机械强度验算。

对特殊区段线路:如大跨越线路、跨越主干铁路、高速公路等重要设施的跨越应采用独立耐张段,必要时杆塔结构重要性系数取1.1。

对于运行抢修特别困难的局部区段线路宜采取适当加强措施,提高安全设防水平。

对覆冰地区的重要线路可考虑安装线路覆冰在线监测装置,采取防冰、减冰、融冰等措施。

重要线路是指核心骨干网架、特别重要用户供电线路等线路。

1.0.5 强调架空输电线路设计除应执行本标准外,尚应符合国家现行有关标准的规定。

2 术语和符号

2.1 术　　语

本节按照标准编撰范例列出输电线路设计中常用到的术语。

2.2 符　　号

本节根据条文中符号的使用情况将标准中多处引用的符号列入。

3 路径选择

3.0.1 随着新技术手段的发展,输电线路路径选择宜使用卫片、航片、全数字摄影测量系统等新技术。

3.0.2 为了使新建工程与地方发展和规划相协调,明确路径选择原则,要求尽量减少对军事设施和地方经济发展的影响。

3.0.3 根据多年的线路运行经验的总结,选择线路应尽量避开不良地质地带、采动影响区(地下矿产开采区、采空区)等可能引起杆塔倾斜、沉陷的地段。当无法避让时,应开展详细的地质、矿产分布、开采情况、塌陷情况的专项调查,应开展塔位稳定性评估。根据运行经验增加了路径选择尽量避开导线易舞动区等内容并加以明确。东北的鞍山、丹东、锦州一带,湖北的荆门、荆州、武汉一带是全国范围内输电线路发生舞动较多地区,导线舞动对线路安全运行所造成的危害十分重大,诸如线路频繁跳闸与停电,导线的磨损、烧伤与断线,金具及有关部件的损坏等,都会造成重大的经济损失与社会影响,因此舞动多发区应尽量避让。

3.0.4 为使新建高压直流线路与沿线相关设施的相互协调,以求和谐共存,明确在选择路径时应考虑对临近设施如地磁台、电台、机场、弱电线路等的影响。

3.0.5 设计应兼顾施工和运行条件,路径选择尽量方便施工和运行。

3.0.6 在线路走廊难以预留时可采用同杆塔架设。

3.0.7 耐张段长度由线路的设计、运行、施工条件和施工方法确定,并吸取2008年初雪灾运行经验,轻、中、重冰区的耐张段长度分别不宜大于10km、5km、3km,当耐张段长度较长时,设计中应采取措施防止串倒,例如轻冰区每隔7基~8基(中冰区每隔

4基～5基)设置一基纵向强度较大的加强型直线塔,防串倒的加强型直线塔其设计条件除按常规直线塔工况计算外,还应按所有导地线同侧有断线张力(含纵向不平衡张力)计算。

3.0.8 为了预防灾害性事故的发生,山区输电线路选择路径和定位时,应注意限制使用档距和相应的高差,避免出现杆塔两侧大小悬殊的档距,当无法避免时应采取必要的措施,提高安全度。

3.0.9 本条为已有重冰区线路运行实践总结出来的可贵经验,要求现场确定路径走向时应尽量做到的一些事项,路径选择还应符合重冰区标准的相关规定。

3.0.10 大跨越的基建投资大、运行维护复杂、施工工艺要求高,故一般应该尽量减少或避免。因此,选线中遇有大跨越应结合整个路径方案综合考虑。往往有这样的情况,某个方案路径长度虽增加了几公里,但避免了大跨越或减少跨越档距降低了造价,从全局看是合理的,这一点应引起足够重视。

4 气象条件

4.0.1 设计气象条件应根据沿线气象资料的数理统计结果及附近已有线路的运行经验确定,并参考现行国家标准《建筑结构荷载规范》GB 50009 的风压图。

我国住房城乡建设部颁布的现行国家标准《建筑结构荷载规范》GB 50009 把风荷载基本值的重现期由 30 年一遇提高到 50 年一遇;经对风荷载重现期由 30 年一遇提高到 50 年一遇增加值的评估,统计了 129 个地区,V_{50}/V_{30} 在 1.0~1.09 之间,平均为 1.05,说明了重现期由 30 年一遇提高到 50 年一遇,风速值提高约 5%,风压值提高了 11% 左右,比原来对杆塔的抗风能力提高了很多,但不会造成工程量较大的增加,因此本标准将 ±500kV、±660kV 直流架空输电线路(含大跨越)的重现期与现行国家标准《建筑结构荷载规范》GB 50009 一致取 50 年。

4.0.2 统计风速样本的基准高度,统一取离地面(或水面)10m,保持与荷载标准一致,可简化资料换算及便于与其他行业比较。

工程设计时应根据导线平均高度将基本风速进行换算,±500kV 线路导线平均高一般取 20m;±660kV 线路导线平均高一般取 23m;其他工况的风速不需进行换算。

4.0.3 架空输电线路经过地区广,地形条件复杂,线路通过山区,除一些峡谷、高峰等处受微地形影响,风速值有所增大外,对于整个山区从宏观上看,山区摩擦阻力大风速值也不一定就较平地大,所以,一般说来如无可靠资料,对于通过山区的线路,采用的设计风速,从安全的角度出发,参考荷载标准的规定,按附近平地风速资料增大 10%,至于山区的微地形影响,除个别大跨越为提高其安全度可考虑增大风速以外,在一般地区就不予增加。至于一般山区虽有狭管等效应,考虑到架空输电线路有档距不均匀系数的影响,因此,从总的方面山区风速较平地增大了10%以后,已能反映山区的情况了。

4.0.4 设计覆冰厚度的确定:

(1)电线覆冰与天气条件、地形因素和线路特性三者密切相关。我国现有气象台站,大都位于城镇附近,即使处在同一凝冻天气条件下,由于地形因素和线路特性不同,所观测到的冰凌数值往往偏小,不能代表线路覆冰的实际情况。早年湖南省设计院曾对此有个统计分析资料,湘中地区覆冰概率统计表见表1。

表1 湘中地区覆冰概率统计表

项目	地区 重现期(年)	长潭株地区			郴州地区		
		5	10	15	5	10	15
冰厚 (mm)	气象台站的统计资料	6.5	9.7	11.2	3.5	5.0	5.8
	现有电力线的统计资料	11.2	14.5	16.1	9.51	11.7	13.86

从表1中气象台站与现场电力线统计资料对比,值差在10mm以内。但必须注意,表1差值所代表的应是两者覆冰速度的差异,即现场电力线覆冰将比台站覆冰厚度大1.5倍~2.4倍,当大冰凌年时两者数值差异将显著增大。这就充分说明,对于所搜集到的冰凌观测资料,首先应结合线路现场实际情况进行有关参数换算和订正工作,提高其有效性,然后再进行频率分析和设计冰厚选择。

(2)根据国际电工委员会IEC规范,冰凌荷载与风荷载一样,如果按年最大值统计,其分布规律与理论的极值Ⅰ型分布能较好地吻合,为此,推荐在冰凌荷载的统计分析和冰厚选择中采用极值Ⅰ型分布。

在上述规范中,对设计冰荷载的选择也提出一套较完整的方法可供参考使用,即提出三种不同情况下选择设计冰荷载的模式见表2。

表2 三种不同情况下选择设计冰荷载的模式

序号	观冰年数 n	平均值 $\bar{g}$	标准偏差 σ_g
1	$\geqslant 20$	$\bar{g}$	$\sigma_g < 0.7\bar{g}$
2	$10 \leqslant n < 20$	$\bar{g}$	$0.5\bar{g} \leqslant \sigma_g \leqslant 0.7\bar{g}$
3	不定,只有一个最大值 g_{max}	$0.45 g_{max}$	$\sigma_g = 0.5\bar{g}$

注:$\bar{g}$ 为历年最大冰荷载的平均值;σ_g 为计算或估计的标准偏差。

(3)鉴于目前各地冰凌观测资料很少,不但不能应用数理统计方法选取设计冰厚,而且往往连一个较确切的历年最大冰凌数据也难以获得。在这种情况下,就只能通过对地区气象台站资料的分析和沿线覆冰情况的调查来解决,具体做法如下:

1)充分搜集地区已有气象站、观冰站、电力线、通信线等历年的冰凌资料,以供参考使用。此外,还需要通过气象站长期气象记录资料,了解该地区历次大冰凌年的天气形势和相应的气象要素,如气温、湿度、降水量、风速风向以及凝冻持续时间等,从而,可初步掌握该地区凝冻天气出现的规律和可能达到的严重程度。

2)进行线路沿线的调查访问。鉴于各地大冰凌年出现次数不多,给予人们的印象较深,一般通过访问都能了解到该地区通信线和各种植被上覆冰情况、持续时间、出现次数以及冻结高度等方面资料。如果进一步与气象台站资料印证分析,即可确认该地区大冰凌年覆冰的严重程度和重现的次数。

3)在掌握地区冰凌资料之后,还应结合线路沿线所经地段的地形、地物等情况,充分计入地形对覆冰的影响因数后,才能较合理地选择设计冰厚和划分冰区。

线路中有利于覆冰加重发展的局部地形,如:
①高于地区凝冻高度的地段;
②促使覆冰气流增速的垭口、风道地段;
③迫使覆冰气流抬升,过冷却水滴增多的长缓坡地段;
④使覆冰增长期加长的地段;
⑤冬季水汽充足的河流、湖泊等潮湿地区;

⑥在封闭低洼的盆形地区,可能形成局部沉积型覆冰小气候区。

对于个别可能出现严重覆冰的微地形、微气候地段(如山垭口、风道、对覆冰气流中明显处于暴露的突出地带等)设计时可划为严重覆冰区。也可采取在同一冰区内,作为特别加强地段处理,即额外加强该段杆塔、基础、导线地线等。

4.0.5 在现行国家标准《110kV～750kV架空输电线路设计规范》GB 50545—2010中,500kV～750kV架空输电线路计算导线、地线的张力、荷载以及杆塔荷载时,基本风速不应低于27m/s。本标准仍沿用此最低风速限制。

4.0.6 根据2008年初我国南方地区覆冰灾害情况分析结果,对输电线路基本覆冰划分为轻、中、重三个等级,采用不同的设计标准。

4.0.7 根据2008年初我国南方地区覆冰灾害情况调查分析,在同样条件下,地线上的覆冰厚度较导线大,故在新建线路设计时地线设计冰厚应较导线增加5mm。

地线设计冰厚增加5mm,其主要目的是增加地线支架的机械强度。

地线覆冰取值较导线增加5mm后,地线的荷载取值对应的冰区(如不均匀覆冰的不平衡张力取值等)应与导线的冰区相同。

4.0.8 根据我国输电线路的运行经验,强调加强沿线已建线路设计、运行情况的调查,并在初步设计文件中以单独章节对调查结果予以论述(风灾、冰灾、雷害、污闪、地质灾害、鸟害等)。

我国输电线路运行经验要求:线路应避开重冰区及易发生导线舞动的地区。路径必须通过重冰区或导线易舞动地区时,应进行相应的防冰害或防舞动设计,适当提高线路的机械强度,局部易舞区段在线路建设时安装防舞装置等措施。输电线路位于河岸、湖岸、山峰以及山谷口等容易产生强风的地带时,其基本风速应较附近一般地区适当增大。对易覆冰、风口、高差大的地段,宜缩短耐张段长度，杆塔使用条件应适当留有裕度。对于相对高耸、山区风道、垭口、抬升气流的迎风坡、较易覆冰等微地形区段，以及相对高差较大、连续上下山等局部地段的线路应加强抗风、冰灾害能力。

4.0.9 输电线路的大跨越段，一般跨越档距在1000m以上，跨越塔高在100m以上。跨越重要通航河流和海面，若发生事故，影响面广，修复困难。为确保大跨越的安全运行，设计标准应予提高。根据我国几处大跨越的设计运行经验，如当地无可靠资料，设计风速可较附近平地线路气象资料增大10%设计。关于江面风速的问题，根据我国沿长江几处重大跨越的设计资料，一般认为江面风速比陆地略大一级，取为10%。

4.0.10 对于大跨越的设计条件规定较高的安全标准还是必要的，考虑到覆冰资料大多数地区比较缺乏，目前气象部门尚提不出覆冰资料及其随高度变化的规律，根据现有的工程的经验，多采用附近线路的设计覆冰增加5mm作为大跨越的设计覆冰厚度。

验算条件，应按稀有气象条件进行验算，当无可靠资料时，如何确定验算风速和覆冰厚度，可结合各地的情况酌情处理。

4.0.11 本条是根据以往设计经验而选定，基本符合输电线路实际情况，运行中未发现问题。

4.0.12～4.0.15 这3条明确了安装、雷电过电压、操作过电压、带电作业等工况的气象条件。

4.0.16 各地由于覆冰天气形势不同，覆冰同时风速差异很大。为了从安全和经济合理方面考虑，将重冰区覆冰同时风速仍规定为15m/s，但为了合理起见，特注释，当有实测资料时覆冰同时风速可按实测值选取。

5 导线和地线

5.0.1 架空输电线路的导线,对于不同电压等级,其选择判据是不相同的。但总体上看,都应归结为技术性和经济性两个方面。

从技术性来看,导线作为输电线路最主要的部件之一,首先需满足输送电能的要求,同时能保证安全可靠地运行,对高压输电线路还要求满足环境保护的要求,而且在经济上是合理的。因此,对高压线路导线在电气和机械两方面都提出了严格的要求。

在高压直流线路导线选择中,要充分考虑导线的电气和机械特性,从国内外的实验研究和工程实践情况看,一般要求所选导线应满足线路电压降、导线发热、无线电干扰、可听噪声、合成电场及粒子电流密度、地面磁场强度等多项要求;对于导线的机械特性,要使高压输电线路能安全可靠的运行,要求导线具有优良的机械性能和一定的安全度,特别是线路经过高山大岭(大档距和大高差)及严重覆冰地区。

就经济性而言,国内以往一般要求导线截面按照经济电流密度选择。表3和表4分别列出了苏联和我国的标准经济电流密度。

表3 苏联标准经济电流密度(A/mm^2)

线路通过地区	最大负荷利用小时数(h)		
	1000~3000	3000~5000	5000以上
欧洲部分、外高加索、外贝尔加、远东	1.3	1.1	1.0
中西伯利亚、哈萨克斯坦、中亚	1.5	1.4	1.3

表4 我国规定的经济电流密度(A/mm^2)

导线材料	最大负荷利用小时数(h)		
	3000以下	3000~5000	5000以上
铝	1.65	1.15	0.9
铜	3.0	2.25	1.75

表3所列的苏联标准经济电流密度系总结了大量的输电线路设计经验而得出,能够反映数据提出当时的导线选用经济性,这种方法可以简化工作,并在特定的研究对象和研究时间具有准确性。从表4数据可以看出,对于我国架空送电线路所采用的钢芯铝绞线,经济电流密度只与最大负荷利用小时数有关。而数据的来源基本上是参考了苏联的经验,而且从20世纪50年代至今一直没有变化。

国内外几个大型直流输电线路的电流密度参见表5。

表5 已建直流输电线路的实际电流密度

工程名称		导线型号	导线截面积（mm²）	额定电压（kV）	额定电流（A）	电流密度（A/mm²）
葛南线		4×LGJQ-300	1200	±500	1200	1.000
天广线		4×LGJ-400	1600	±500	1800	1.125
三常线		4×LGJ-720	2880	±500	3000	1.042
贵广线		4×LGJ-720	2880	±500	3000	1.042
银东线		4×JL/G3A-1000	4000	±660	3030	0.75
太平洋联络线	最初投运	2×ACSR1272	2328	±400	1800	0.733
	升压增容			±500	3100	1.332
巴西伊泰普		4×ACSR1272	2578	±600	2610	1.012
加拿大纳尔逊		2×ACSR1843	1868	±450	1800	0.964

众所周知,线路工程建设费用在不同的年代是不同的,其随材料费和人工费的变化而变化。而线路运行费用也要随电力部门人工费用以及销售电价的变化而改变。

苏联文献指出,"随着线路额定电压的提高,电晕损耗和限制导线电晕无线电干扰水平的要求,对输电技术经济指标的影响越来越大。早在选择330kV线路上的相导线最佳结构时,上述条件就可能是决定性的因素。随着线路电压的提高,按经济电流密度所求得的相导线截面和在合理的相间距离下按电晕及无线电干扰条件所确定的截面,这二者之间会更加不协调。因此就超高压线路而言,关于经济电流密度的概念实际上已不采用,而相导线截面及其参数的选择,则要根据不同方案的技术经济比较来确定。"

另外,北美也有研究报告专门论述导线及其组合方案经济分析的方法。

虽然经济电流密度已经不是确定导线截面的决定因素,但其实际的电流密度应该在经济电流密度附近,因此,经济电流密度仍然可以作为初步选取导线截面的参考。

目前,为选定导线截面,一般分为两步:首先根据系统输送容量选择几种规格导线截面进行经济分析比较,以确定最佳截面;然后从电气性能上考虑导线表面电位梯度、无线电干扰、可听噪声等因素,以求对环境影响控制在允许范围内。

综合上述因素,本条款增加了根据年费用最小法进行经济分析的内容。

对重覆冰线路还应结合已建线路成熟的运行经验最终确定。

5.0.2 本条为强制性条文,用于控制无线电干扰水平,超出会影响电信接收设备的信号电平,导致电台信号、导航信号无法正常接收,影响公共安全,必须严格执行,分以下3点进行说明。

(1)输电线路无线电干扰特性:

输电线路的无线电干扰主要是由导线、绝缘子或线路金具等的电晕放电产生,电晕形成的电流脉冲注入导线,并沿导线向注入点两边流动。从而在导线周围产生电磁场,即无线电干扰场。由于高压架空输电线的导线上沿线"均匀地"出现电晕放电和电流注入点,考虑其合成效应,导线中形成了一种脉冲重复率很高的"稳态"电流,所以架空送电线周围就形成了脉冲重复率很高的"稳态"无线电干扰场。

电晕放电产生的无线电干扰具有白色频谱特性,其频率基本上在 30MHz 以内。同时,由于电晕放电会因天气的变化而强弱变化,晴天和雨天,甚至春夏秋冬季节线路电晕放电都有明显变化,所以输电线路的无线电干扰电平会随天气变化而有很宽范围的变化,因此通常采用具有统计意义的值来表示线路的无线电干扰水平,如好天气平均值或 50%。坏天气条件下的无线电干扰水平低于好天气,这是直流不同于交流线路的最大特点。

(2) 国内外标准情况:

关于直流输电线路的无线电干扰限值,到目前也没有国际标准,限值标准与当地的信号场强有关,如果信号电平比干扰电平大到 20dB 以上,可认为干扰电平对此信号接收并无多少影响。国内外对无线电干扰的评判仍着重于调幅广播频带(535kHz～1605kHz)的干扰上。一旦知道了电信接受设备处的信号电平,就可以决定允许的干扰电平。

加拿大国家标准规定的无线电干扰限值是以 0.5MHz 为参考频率,距边相导线投影 15m 为参考距离的,具体取值如表 6,明显地无线电干扰限值是随电压升高而增大。加拿大标准还规定,进入城区的输电线路,无线电干扰限值允许放宽,因为城市的电台信号会增强。

表 6 加拿大国家标准

交流电压	无线电干扰限值		备 注
(kV)	15m 处(dB)	20m 处(dB)	
70～200	49	45.1	110kV 路线高度按 6m 计
200～300	53	49.5	220kV 路线高度按 6.5m 计
300～400	56	52.6	330kV 路线高度按 8m 计
400～600	60	57.2	500kV 路线高度按 8m 计
600～800	63	55～58	750kV 路线建议值

注:表中的导线投影 20m 处是折算到我国的情况,以便对比。

目前国内外关于无线电干扰限值要求列表如表7。

表7 无线电干扰限值

标 准	无线电干扰限值 0.5MHz		无线电干扰限值 1.0MHz		备注
	15m 处(dB)	20m 处(dB)	15m 处(dB)	20m 处(dB)	
《高压架空送电线路无线电干扰计算方法》DL/T 691—1999 《高压交流架空送电线无线电干扰限值》GB 15707—1995	57	55	52	50	500kV
电气和电子工程师协会 IEEE 导则	61	59	56	54	
美国规范			53~58		
加拿大标准	60	57.2	55	52.2	500kV 线高 8m
泰西蒙咨询葛南线采用标准	65	63	60	58	±500kV
《750kV架空送电线路设计暂行技术规定》Q/GDW 102—2003	63	55~58	58	50~53	750kV

注：按照《高压交流架空送电线无线电干扰限值》GB 15707—1995 以及计算可知，0.5MHz 无线电干扰比相同条件 1.0MHz 无线电干扰高 5dB。

现行国家标准《高压交流架空送电线无线电干扰限值》GB 15707—1995 规定的限值 0.5MHz 如表8所列，限值的参考距离是距边相导线投影 20m（图1）。我国的标准无线电干扰限值也是随电压升高而增大，750kV 交流线路无线电干扰限值为 55dB～58dB。

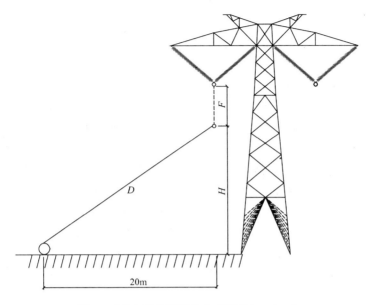

图1 无线电干扰限值的参考距离($x=20$m)

表8 我国无线电干扰限值

电压(kV)	110	220~330	500	750
限值(dB)	46	53	55	58

(3)无线电干扰限值:

交流电晕产生的无线电干扰与直流电晕产生的无线电干扰具有相似的特性,过去我国±500kV直流线路的无线电干扰允许值一直参照500kV交流线路的标准执行,即20m处0.5MHz无线电干扰场强80%/80%值不超过55dB(μV/m),运行中尚未发生任何投诉。说明取值是可行的。事实上直流线路的RI生理干扰要小于交流的,故国外的直流线路允许RI电平较交流高2dB即58dB。

参照交流750kV输电线路和±800kV特高压直流输电线路的无线电干扰限值,高压直流线路无线电干扰限值:距直流架空输电线路正极性导线对地投影外 20m 处,80％时间,80％置信度,频率 0.5MHz 时的无线电干扰限值不超过 58 dB(μV/m)。对于海拔超过 1000m 的线路,其无线电干扰计算值应进行高海拔修正。修正因数为:以 1000m 为基准,海拔高度每增加 300m,无线电干扰计算值增加 1dB。

5.0.3 本条为强制性条文。用于控制高压架空输电线路可听噪声水平,减少噪声对居民区的影响,满足我国环境噪声标准要求。

(1)根据国外超高压的研究经验,随着电压的升高和导线分裂根数的增加,输电线路的电晕可听噪声问题越显突出,对于±500kV 以上线路,电晕可听噪声干扰已超越无线电干扰成为选择导线的控制条件。由于直流线路的特点是好天气条件下其所产生的可听噪声较雨、雾天高,因此,好天气条件下的可听噪声水平是衡量直流线路整体噪声水平的一个特征量,其限制标准将对导线截面和分裂方式的选取产生较大影响。

(2)对国外情况的调查:

各国输电线路的可听噪声的情况各不相同。下面对国际上一些国家在电晕噪声标准、因电晕可听噪声的投诉或抱怨、相对解决措施等几方面情况进行介绍。

意大利电力公司(ENEL),无电晕噪声限制标准,目前的最高电压等级为 400kV 输电线路,多年运行下来无电晕噪声问题的投诉或抱怨。公司建有 20km 长的 1050kV 交流试验线路,导线为 8×ϕ31.5mm,在该线路上测量的电晕可听噪声 L_{50} 为 52dB(A)～53dB(A)。

法国电力公司(EDF),无电晕噪声限制标准,输电线路建设之前进行的噪声预测认为没有问题,但是实际运行的线路中,有因导线存在防锈油脂而产生噪声引起的投诉,在此情况下采取处理掉油脂,并对此进行说明和解释的方法。

英国中央电力局(CEGB),无电晕噪声限制标准,400kV 线路采用2分裂导线,在下雨时存在因电晕噪声的抱怨,处理对策是将2分裂导线更换为4分裂导线以降低噪声,由此可见,增加分裂导线数是降低噪声的有效方法。

瑞典电力局(SSPB),无电晕噪声限制标准,运行有9000km左右的400kV交流线路,无投诉或抱怨。规划建设交流800kV输电线路,计划采用$4×\phi40mm$的导线,将可听噪声限制到56dB(A)。

美国纽约州电力局(PASNY),无电晕噪声限制标准,但是对于765kV输电线路的电晕噪声,距离线路中心38m外噪声的设计控制值:$L_5=56dB(A)$;$L_{50}=53dB(A)$。噪声的投诉情况是:345kV线路完全无投诉,765kV线路曾经有36起投诉,根据居民的要求,给予搬迁或赔偿。

美国邦维尔电管局(BPA),1978年定开始制噪声限制标准。该地区俄亥俄州规定,在路权边上噪声标准:$L_{50}=(53±2)dB(A)$,早期的500kV线路采用$\phi63.5mm$的单导线,有噪声的投诉。处理的措施是将$\phi63.5mm$的单导线更换为$3×\phi30.5mm$的3分裂导线(民房多的地区),或者在档距中将单导线上套上$\phi101.6mm$的管(档内有个别民房时)。

图2是国外研究中心随机抽样的统计反应,对交流线路具有代表性,对直流线路尚缺乏统计数据。

我国对输电线路的可听噪声也未制定有相关标准,在±500kV直流线路设计时由于采用4分裂导线,可听噪声水平很低,一般在40dB(A)以下,不起控制作用;±660kV直流线路可听噪声也不起控制,4分裂$720mm^2$以上导线均能满足要求。

(3)有关环境噪声标准:

虽然世界上很多国家(包括中国)对输电线路的可听噪声没有限制标准,但各国政府环保部门均制订有环境噪声的限制标准,输电线路属于整个环境中的一部分,其可听噪声的限值按当地的环境噪声限制标准,表9是日本的环境噪声标准。

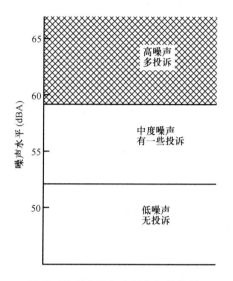

图 2 噪声水平与人们抱怨的情况

表 9 日本环境噪声标准

地域类型	时 间 段		
	昼 间	朝 夕	夜 间
AA	45dB(A)以下	40dB(A)以下	35dB(A)以下
A	50dB(A)以下	45dB(A)以下	40dB(A)以下
B	60dB(A)以下	55dB(A)以下	50dB(A)以下

注:1 AA地域为特别需要安静的地方,如疗养院;
  2 A地域为一般的安静地方,如居住环境;
  3 B地域为一般性地区,为居住、商业和少量工业混合区。

在我国相应的环境噪声标准有:《声环境质量标准》GB 3096、《工业企业厂界环境噪声排放标准》GB 12348、《建筑施工场界环境噪声排放标准》GB 12523,城市区域环境噪声和工业企业厂界噪声这两个标准,都划分了不同标准以适用于不同的区域,标准如表10。

表 10 中国噪声标准 dB(A)

类 别	昼 间	夜 间
0	50	40
1	55	45
2	60	50
3	65	55
4	70	55

注:0 类适用于疗养区、高级别墅区、高级宾馆区等特别需要安静的区域(工业企业厂界噪声无此类标准)。

1 类适用于以居住、文教机关为主的区域,乡村居住环境可参照执行该类标准。

2 类适用于居住、商业、工业混杂区。

3 类适用于工业区。

4 类适用于城市中的道路交通干线道路两侧区域,穿越城区的内河航道两侧区域。

由上述两表可以看出,我国环境噪声标准的划分与日本基本类似,但日本的标准稍严,美国直流线路的可听噪声的设计标准为 45dB(A)。

输电线路大多数选择远离居民密集的地区走线,但不能排除接近乡村居民的分散住户、学校等区域,所以,线路经过的大部分地区属于 1、2 类。考虑到输电线路的噪声的不间断性,应该按夜间的噪声标准进行限制,那么噪声限值就是 45dB(A)～50dB(A)。

500kV 交流输电线路的可听噪声 L_5 不宜超过 55dB(A),已被国家环保总局认可。交流的 55dB(A) 是指在小雨、潮湿导线情况下,年出现概率值为 5% 的可听噪声值,若换算到好天气 50% 概率的可听噪声值要减去 7dB(A)～10dB(A)。因此直流线路可听噪声限值(好天气 50% 概率的可听噪声值)参照交流线路可听噪声限值选取,即为 45dB(A)～50dB(A)。换算到年出现概率值为 5% 的可听噪声值为 51dB(A)～56dB(A)($L_5=L_{50}+6$),低于交流线路。

本条规定限值为 45dB(A)～50dB(A)，下限值用于一般乡村居住环境区，上限用于人烟稀少地区。

可听噪声限制指标参考距离为边相导线外投影 20m，在导线选取时应采用上述标准。

5.0.4 制定合理的场强标准，可使线路既满足生物效应的要求，同时避免不必要的增加线路建设的投资，使输电线路的造价控制在合理的水平。

直流输电线路的电场强度的限值通常用两种方式表示：1. 在一定数量空间电荷下合成场强的限值；2. 标称场强和离子流密度的限值。目前，对直流输电线路下电场强度的限值一般根据人体感受试验确定。

(1) 各国电场和离子流密度的限值：

美国：在支流输电线路下可能有人愿活动的地方，地面合成场强限值为 30kV/m。美国政府工业协会 1995 年推荐，直流电场强度职业暴露限值为 25kV/m；在电场强度超过 15kV/m 的场合工作，需要接触不接地的物体时，要求采取防护措施，如戴绝缘手套等。

加拿大：直流输电线路下最大合成场强为 25kV/m；走廊边沿的标称电场不超过 2kV/m；线下离子流密度限值为 100nA/m^2。

巴西：伊泰普工程输电线路地面最大合成场强取 40kV/m。

苏联：在设计±750kV 输电线路时规定了不同情况下的地面最大合成场强，无人居住时取 25kV/m，有人居住时取 10kV/m。

中国：现行行业标准《高压直流架空送电线路技术导则》DL/T 436—2005规定：±500kV 直流输电线路卜地面的合成场强限值取为 30kV/m；线下最大离子流密度限值为 100nA/m^2。

表 11 列出了各国对于直流线路电场强度的限值情况。

表 11 各国直流线路电场强度限值情况

规范及标准	限值内容	备注
美国	线下最大允许合成场强 E_s 为 30kV/m	
日本环境部规范	线下最大允许标称场强 E_e 为 9kV/m	
加拿大	线下最大 $E_s=25$kV/m;$J=100$nA/m², 走廊边缘标称 $E_e=2$kV/m	
巴西	地面最大合成场强 $E_s=40$kV/m	伊泰普
苏联规范	线下 $E_s=15$kV/m,$J=20$nA/m²	8h
	线下 $E_s=15$kV/m~20kV/m,$J=25$nA/m²	5h
	线下 $E_m=60$kV/m	1h
	无人居住 $E_s=25$kV/m;有人居住 $E_s=10$kV/m	±750kV
泰西蒙咨询葛南标准	线下 5%概率的合成电场 E_s 为 30kV/m	
《高压直流架空送电线路技术导则》DL 436	线下 $E_s=30$kV/m,$J=100$nA/m²,民房 $E_e=3$kV/m	
龙政、三广等直流	线下 $E_s=30$kV/m,$J=100$nA/m²,民房 $E_e=5$kV/m	

注:E_s 为合成电场;E_e 为标称场强。

表 12 列出了国内外已建直流线路工程的场强情况。

表 12 国内外已建直流线路工程的场强

工程名称	国家	电压(kV)	导线结构(n×mm)	表面场强(kV/cm)	地面场强(kV/m)	合成场强(kV/m)	离子流密度(nA/m²)
太平洋联络线	美国	±400	2×45.8	20.56	11.57	20.82	72.14
太平洋联络线	美国	±500	2×45.8	25.97	14.46	26.02	90.17
CU 工程	美国	±400	2×38.2	24.14	5.1	17.0*	26.0*
纳尔逊河	加拿大	±450	2×40.7	25.87	9	20.0*	55.0*
伏尔加格勒—顿巴斯	俄罗斯	±400	2×33.0	28.96	—	—	—
天广线	中国	±500	4×26.8	25.89	12.36	27.11	62.08
三常线	中国	±500	4×36.2	20.35	15	23.66	71.99
三广线	中国	±500	4×36.2	19.2	15.12	22.23	61.77

注:1 表面场强、地面场强、合成场强及离子流密度均表示最大值;
  2 带 * 的项目为实测值。

(2)±660kV 直流线路电场限值：

直流线路线下雨天时的合成电场比晴天时的大，在确定导线对地最小高度时，按理应考虑雨天情况。泰西蒙在对葛上直流工程咨询时即按此原则给出的建议，按雨天时导线的起晕场强分析，提出导线对地最小高度为 14m。当时我国研究人员以晴天时导线的起晕场强计算，确定导线对地最小距离为 12.5m。对于葛上±500kV 直流输电线路，若将晴天时的地面最大合成电场控制在 30kV/m，雨天时也只有不到 35kV/m，实际运行经验表明，这是可以接受的。

直流线路电场对人的影响应该以合成场强衡量，从苏联和我国直流线路的运行经验看，地面合成场强没有必要小于 10kV/m，从美国和苏联的规定看，不应大于 15kV/m。我国在《高压直流架空送电线路技术导则》DL/T 436—1991 中规定，邻近民房的地面标称场强限值为 3kV/m，而在现行行业标准《高压直流架空送电线路技术导则》DL/T 436—2005 中已改为：民房所在地面未畸变合成场强应不超过 15kV/m。

《高压直流架空送电线路技术导则》DL/T 436—2005 是在建设葛上直流工程时确定的，当时中国电力科学研究院对直流合成电场对人的影响进行过大量的试验研究，在晴天当地面合成电场到达 11kV/m 时，人在该电场下打伞，手触摸金属柄，会感受到明显但比较轻微的暂态电击；在雨天同一地点的地面合成电场达到约 15kV/m，暂态电击更强烈，具有刺痛感。随着电场增加，暂态电击程度也增加。为了防止人在民房所在地打伞时出现较强的暂态电击，民房所在地面的合成电场应不超过 15kV/m。

从苏联的规定和我国直流线路运行经验看，直流线路临近民房时，地面合成场强不需小于 10kV/m。同时我国为慎重确定直流线路临近民房所在地面的合成电场的限值，在 2005 年 7 月，中国电力科学研究院会同湖北超高压局武汉分局，组织了老中青男女人员，在直流输电线路下进行了感受试验。试验中人处在的地面合成场强的范围为 6.1kV/m～15.1kV/m。人体试验方式为：人触摸接地金属、人打伞触摸金属柄和人触摸架设在空中对地绝缘的 13m 长金属线时的感受。感受结果为：①穿普通鞋的人触摸接地金属体时无感觉；穿电工绝缘鞋的人触摸接地金属体时，在 15kV/m 的场强下时有明显但轻微的暂态电击感觉，在小于 12kV/m 的场强下无感觉。②人触摸架设在空中对地绝缘的 13m 长金属线时无感觉。③人打伞触摸金属柄，在地面合成电场小于 9.6kV/m 时，无感觉；在地面合成电场为 11kV/m～13kV/m 时，有明显但轻微的暂态电击感觉；在地面合成电场为 14.6kV/m～15.1kV/m 时，放电很明显，放电声较大，有明显刺痛感，与人在干燥的地板上走动后再触摸水龙头的感觉类似。同时这与葛上直流工程时所做的感受试验一致。

国家环保总局组织的专家评审中，经过多方分析讨论，专家认为应充分考虑减少电击对人造成的不适或不快感，按 80% 测量值不超过 15kV/m 考虑，这样符合一般合格评定的规则，与无线电干扰限值的意义也一致。

据此，推荐直流输电线路下方地面最大合成电场强度为 30kV/m 邻近民房的地面最大合成场强为 25kV/m（晴天），同时满足 80% 测量值不超过 15kV/m 为控制指标。最大离子流密度限值晴天不超过 80nA/m^2，雨天不超过 100nA/m^2。这与我国 ±500kV 直流输电线路基本相同，在世界上处于中等水平。

关于 80% 值和 50% 值，假设测量数据为 100 组，将测量结果按照由小到大的顺序排列，第 81（或 51）个数值，即 80%（或 50%）测量值，此时小于或等于 15kV/m 为满足要求。对于因 80% 和 50% 的差距可能带来的问题，建议在监测方法中以规定风向和更小的风速来解决。

5.0.5 导线表面电晕可引起电晕损失、无线电干扰、电视干扰、电场效应（场强和离子流）和可听噪声等对环境的影响问题。

目前我国已建 ±500kV 直流线路采用的导线型号全为 4 分

裂,具体为 4×LGJ-300(葛上直流)、4×LGJ-400(天广直流)、4×LGJ-720(三常直流、贵广直流、三广直流等)三种。葛上直流 4×LGJ-300导线各项计算指标(表面场强、合成场强、离子流)最大,如导线采用 3 分裂或 2 分裂,可将葛上直流 4×LGJ-300 导线各项计算指标作为参考,另外无线电干扰、可听噪声同时满足限值要求,无线电干扰不大于 58dB(μV/m),可听噪声不大于 45 dB(A)。规定表 13、表 14 中±500kV、±660kV 直流线路数据即根据此得来。

表 13　±500kV 导线表面场强、合成场强、离子流密度、可听噪声、无线电干扰计算值

导线直径 (mm)	分裂根数	分裂间距 (mm)	最大合成场强 (kV/m)	最大离子流密度 (nA/m²)	导线表面电位梯度 (kV/cm)	0.5MHz无线电干扰 20m处(dB)	20m处可听噪声 (dB)	备注
23.72	4	450	29.91	−122.74	28.403	49.10	41.14	葛上线
33.2	3	500	27.76	−109.21	26.33	51.88	40.95	
30.0	3	500	29.59	−122.23	28.508	53.34	42.16	
30.15	3	500	29.50	−121.58	28.395	53.25	42.10	
44.6	2	600	27.69	−110.44	26.827	57.69	42.27	
40.5	2	600	29.33	−122.33	28.901	59.08	43.38	
41.5	2	600	28.91	−119.30	28.36	58.70	43.09	
48.3	2	600	26.04	−99.895	25.248	56.75	41.39	

表 14　±660kV 导线表面场强、合成场强、离子流密度、可听噪声、无线电干扰计算值

导线直径 (mm)	分裂根数	导线表面场强 (kV/cm)	无线电干扰 (CISPR 法) (dB)	可听噪声 (EPRI 法) (dB)	地面合成场强 (负极性湿) (kV/m)	地面离子流 (负极性湿) (nA/m²)
40.41	4	22.75	50.23	41.72	−34.5	−146.93
42.1	4	22.03	49.9	40.97	−33.9	−141.22
44.5	4	21.75	49.78	40.67	−33.6	−138.9
47	4	21.32	49.6	40.22	−33.2	−135.28
36.2	4	20.81	49.41	39.66	−32.7	−130.77

续表 14

导线直径(mm)	分裂根数	导线表面场强(kV/cm)	无线电干扰(CISPR法)(dB)	可听噪声(EPRI法)(dB)	地面合成场强(负极性湿)(kV/m)	地面离子流(负极性湿)(nA/m²)
30	5	21.53	46.57	38.96	−33.4	−134.3
33.6	5	20.55	46.18	37.86	−32.5	−125.69
36.2	5	19.75	45.92	36.94	−31.6	−118.13
30	6	20.21	43.36	36.1	−31.9	−119.66
33.6	6	19.07	43.03	34.75	−30.6	−108.53
30	6	18.22	42.85	33.72	−29.5	−99.6
33.6	7	19.99	41.09	34.78	−31.68	−115.39
42.8	7	18.57	41.07	33.44	−30.78	−113.49
43.9	8	18.72	39.35	31.18	−28.08	−112.79
45.3	8	17.07	38.97	28.94	−25.58	−102.29

表 5.0.5 中数据为 ±500 为荆门—枫泾直流线路工程数据，同塔双回直流线路导线外径和分裂根数应根据不同的极性布置确定，极性布置可采用以下四种极性布置方式：

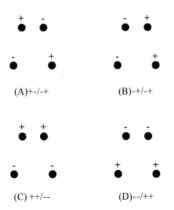

(A)+-/-+   (B)-+/-+

(C) ++/--   (D)--/++

规定中暂缺 ±660 同塔双回直流线路数据。

5.0.6 大跨越段在输电线路中只占较小的一部分，导线引起的发热损耗（电阻损耗），对整个输电线路损耗所占比例很小，导线选择主要考虑要有较高的机械强度以及对杆塔、基础的各种荷载(水平荷载、垂直荷载、断线张力)较小,因此,导线截面选择不是按经济电流密度,而是按允许载流量选择。

但此时应注意电网的总体配合,对导线制造的各处接点均需要特殊考虑,交叉跨越距离亦应按导线实际能够达到的温度计算最大弧垂。

5.0.7 控制导线允许载流量的主要依据是导线的最高允许温度,后者主要由导线经长期运行后的强度损失和联接金具的发热而定。《电机工程手册》(试用本)电线电缆第 26 篇提出当工作温度愈高,运行时间愈长,则导线的强度损失愈大,对 54/7 的钢芯铝绞线的强度损失见表 15。

表 15　54/7 钢芯铝绞线强度损失值

工作温度(℃)	运行时间(h)	
	1000	10000
85	−1%	−1.4%
100	−2%	−3.0%

1980 年国际大电网会议第 22 组苏联代表等的报告中提出钢芯铝绞线的强度损失见表 16。

表 16　钢芯铝绞线强度损失值

国家	苏联		比利时			加拿大	
导线温度(℃)	110	150	90	100	150	125	150
时间(h)	3	3	24	24	24	1000	1
强度变化(%)	+15	+20	+10	+12	+15	0	0

表 16 中数据说明钢芯铝绞线在 90℃～150℃时强度并未损失,短时间受热强度反而提高,这可能是由于线股在受热后调整伸长和位移使受力条件得到改善,钢芯强度能更好利用的结果。报告认为仅从导线耐热的角度考虑,钢芯铝绞线可采用 150℃,但为了避免接头氧化而损坏,在连续运行时,温度必须不超过 70℃。

我国输电线路钢芯铝绞线采用的电力金具,导线截面为

240mm² 及以下的耐张线夹用螺栓型,跳线多用并沟线夹联接,运行中曾发生螺栓松动而将跳线烧红的情况。鉴此钢芯铝绞线的允许温度仍取以往设计规程采用值+70℃(大跨越可取+90℃);钢芯铝合金绞线的允许温度采用值与钢芯铝绞线同。钢芯铝包钢绞线(包括铝包钢绞线)的允许温度,按华东电力设计院设计的220kV南京南热大跨越南江跨越和湖南省电力勘测设计院设计的220kV湘江大跨越采用的数值,取+100℃,此允许温度是通过单丝热强度损失试验确定的。考虑到长线路的连接点多,温升难以控制,对照钢芯铝绞线一般线路的允许温度较大跨越低20℃,故一般线路钢芯铝包钢绞线(包括铝包钢绞线)的允许温度采用+80℃,镀锌钢绞线仍取+125℃。工程设计中也可进行单丝热强度损失试验来选择恰当的绞线允许温度。当按允许温度选择导线截面时应对交叉跨越距离和对地距离进行相应的验算,并对导线连接点的发热问题作出相应考虑。

验算导线载流量时的环境气温采用最高气温月的最高平均气温、太阳辐射功率密度采用 0.1W/cm²,一般线路的计算风速采用 0.5m/s,大跨越由于导线平均高度在 30m 以上,风速要相应增加,故取 0.6m/s。

计算导线允许载流量可选用《电机工程手册》(试用本)第 26 篇所列公式(原公式符号略有变更):

$$I = \sqrt{(W_R + W_F - W_S)/R'_t} \tag{1}$$

式中:I——允许载流量(A);

W_R——单位长度导线的辐射散热功率(W/m);

W_F——单位长度导线的对流散热功率(W/m);

W_S——单位长度导线的日照吸热功率(W/m);

R'_t——允许温度时导线的交流电阻(Ω/m)。

辐射散热功率 W_R 的算式:

$$W_R = \pi D E_1 S_1 [(\theta + \theta_a + 273)^4 - (\theta_a + 273)^4] \tag{2}$$

式中:D——导线外径(m);

E_1——导线表面的辐射散热系数,光亮的新线为 $0.23\sim 0.43$;旧线或涂黑色防腐剂的线为 $0.90\sim 0.95$;

S_1——斯特凡-包尔茨曼常数,为 $5.67\times 10^{-8}(W/m^2)$;

θ——导线表面的平均温升(℃);

θ_a——环境温度(℃)。

对流散热功率 W_F 的算式:

$$W_F = 0.57\pi\lambda_f\theta Re^{0.485} \quad (3)$$

式中:λ_f——导线表面空气层的传热系数(W/m/℃);

Re——雷诺数。

$$\lambda_f = 2.42\times 10^{-2} + 7(\theta_a+\theta/2)\times 10^{-5} \quad (4)$$

$$Re = VD/\nu \quad (5)$$

式中:V——垂直于导线的风速(m/s);

ν——导线表面空气层的运动黏度(m^2/s);

$$\nu = 1.32\times 10^{-5} + 9.6(\theta_a+\theta/2)\times 10^{-8} \quad (6)$$

日照吸热功率 W_S 的算式:

$$W_S = \alpha_S J_S D \quad (7)$$

式中:α_S——导线表面的吸热系数,光亮的新线为 $0.35\sim 0.46$;旧线或涂黑色防腐剂的线为 $0.9\sim 0.95$;

J_S——日光对导线的日照强度(W/m^2);当天晴、日光直射导线时,可采用 $1000W/m^2$。

钢芯铝绞线和钢芯铝合金绞线的允许温度修改为"宜采用+70℃,必要时可采用+80℃"。环境气温采用最热月平均最高温度,指最热月每日最高温度的月平均值,取多年平均值。

输电线路上常用的导线为钢芯铝绞线、钢芯铝合金绞线和钢芯铝包钢绞线(包括铝包钢绞线),现行行业标准《110～500kV架空送电线路设计技术规程》DL/T 5092—1999 规定钢芯铝绞线和钢芯铝合金绞线的允许温度为+70℃,钢芯铝包钢绞线(包括铝包钢绞线)可采用+80℃。2001 年国家电力公司委托华东电力设计院进行《提高导线发热允许温度的实验研究》工作,根据实验研究数据,得出以下结论。

(1)对组成导线的线材:

对镀锌钢绞线,在长期加热至100℃,其抗拉强度不低于标准值;

对经过热处理的铝合金线,温度不超过80℃时,1000小时强度损失为0.5%,10000小时,强度损失为8%;

对硬铝线,加热100℃,20000小时强度不低于标准值。

(2)对钢芯铝绞线:

国内试验,钢芯铝绞线在80℃时导线强度不低于计算拉断力;

日本试验认为,钢芯铝绞线在90℃时强度即使有所损失,也能满足工程的要求;

苏联、比利时和加拿大的试验表明,钢芯铝绞线的允许温度可以超过90℃。

(3)对导线配套金具:

国外试验,IEEE资料《钢芯铝绞线金具的高温试验》的结论:只要导线温度不超过200℃,线路金具就能够安全运行;

国内试验证明,导线温度80℃时,配套金具的温度不超过67℃,金具温度在80℃以下时,对导线的握力基本没有影响(仍在导线额定拉断力的95%以上)。

(4)世界各国对钢芯铝绞线规定的允许温度:

表17 各国对钢芯铝绞线规定的允许温度

温度(℃)	国　　家
90	日本、美国
85	法国
80	德国、意大利、瑞士、荷兰、瑞典
75	比利时、印尼
70	中国、苏联
50	英国

（5）由于温度提高，导线弧垂增加，对地及交叉跨越空气间隙距离减少，将影响线路对地及交叉跨越的安全裕度。

1）以往设计按经济电流密度选择导线截面，并以最高气温弧垂来校验对地和交叉跨越的安全间距；鉴于导线达到允许温度的时间在全年运行中所占比重很小，一般不要求对允许温度弧垂校验安全距离；

对于特定的交叉跨越如200m以上档距跨越铁路、高速或一级公路，和按允许温度选择导线截面的大跨越或跨越电线等，标准规定按允许温度弧垂校验交叉跨越间距；

2）对于按发热条件选择导线截面的线路，由于常常处于其允许传输容量的运行状态，自然应当按提高后的允许温度的弧垂来校验规定要求的安全距离；

3）对于按经济电流密度选择导线截面的线路，提高导线允许温度的影响，主要反映在系统规划"N－1"的工况下，在调度转移负荷的短时间内，允许传输容量和导线弧垂的适当增加，导致了适当补偿导线对地面和交叉跨越距离的需要；

4）对于按经济电流密度选择导线的线路，在导线允许温度提高到80℃之前，必须按50℃弧垂校验导线对地和交叉跨越间距、做好必要的调整，并检查、恢复导线接头的良好接触传导。

5.0.8 地线除了满足机械强度要求外，一般还应满足短路电流热容量的要求。对于高压直流线路，还应考虑地线电晕问题，即地线上的感应电荷较大，有可能在地线上产生很大的表面电场强度，当超过起始电晕电场强度时，亦会产生电晕损失、无线电干扰和可听噪声干扰等，必须予以限制。

目前只能计算导线无电晕时地线的表面电场强度值，当导线有电晕时计算非常复杂，国内外尚未深入研究。

一般直流线路导线的起始电晕电场强度采用15kV/cm，计算地线时应留有裕度，因为导线常处于电晕状态，使地线上的表面电场强度有所增大（类似于导线的综合场强），但增大多少，目前尚在研究。此外尚有高海拔的影响。±500kV直流线路地线选择，电晕不起控制作用，地线直径按习惯取11.5mm。±660kV直流线路地线选择，电晕起控制作用，宁东－山东直流线路建议地线表面电场强度取与±800kV向家坝－上海特高压线路相同，不超过13kV/cm(海拔1000m及以下用)，建议的地线直径在15.0mm左右。根据中国电科院提供的最新计算和现场测试结果，表明地线的表面电场强度可以适当放宽，建议地线的表面电场强度不超过18kV/cm，因此±660kV直流线路的地线直径可适当减小。

5.0.9 本条为强制性条文，必须严格执行。本条规定了导线、地线设计的最小安全系数。

5.0.10 导线、地线安全系数的公式改用张力表达式(根据现行国家标准《圆线同心绞架空导线》GB 1179中的计算拉断力，在试验中要求绞线拉断力试验结果应不小于上述计算值的95%。故拉断力实际上仅保证不小于计算拉断力的95%)。

对悬挂点张力控制条件，现改为限定其安全系数不应小于2.25，便于有关项目计算。在稀有气象条件，相应的悬挂点最大张力不应超过拉断力的77%。

(1)从已有的运行情况来看，重覆冰线路出现的导线事故，主要限于如下三个方面。

1)由于冰凌过载，即导线所覆冰重接近甚至超过导线本身最大抗冰能力，从而出现过载性断股、断线事故；

2)由于冰凌荷载大，导线主拉张力高，这时如果在导线悬垂线夹处再施加一个很大的不平衡张力，超过了线夹握着力，将使线夹滑动，从而使部分或全部铝股因随线平滑动伸长而出现非过载性断股事故；

3)由于导线覆冰舞动或脱冰跳跃，以致造成导线与导线之间，或者导线与地线甚至杆塔结构之间出现闪络跳闸和烧伤导、地线事故。

上述导线事故，与安全系数密切相关的主要是过载断线事故。

从上表可以看出,若设计中考虑了冰重过载系数1.6,从理论上讲不应该出现灾难性的断线事故。

其次,断线与否也不能作为安全运行的分界点,因为线路使用的导地线是由弹性线材构成的,远在拉断之前会因超越弹性限度而出现显著的塑性伸长,这将给安全运行带来很多隐患。如对地、被交叉跨越物的安全间距减少,三相导线或子导线间的弧垂不平衡等。故一般情况下应满足导线弧垂最低点的最大张力不超过其拉断力的60%。

然而,目前由于冰凌资料缺乏,实际情况往往是设计冰厚偏小,过载比值往往大于1.6甚至在2.0以上,从而造成严重的断线倒塔事故。为防止这类事故的重复出现,务必要求提高线路各部件的安全储备。所以,规定要求导地线的最大验算冰荷载条件下,其弧垂最低点的最大张力不宜超过拉断力的70%(导地线悬挂点张力可较弧垂最低点张力提高10%)。

(2)现行国家标准《110kV~750kV架空输电线路设计规范》GB 50545—2010规定,轻冰区导线安全系数取2.5,即导线允许最大使用张力为拉断力的40%,对导线最低点处允许的弹性限度70%来讲,安全储备系数为1.7。虽然过载比值可能在1.7以上,但鉴于导线张力增长与过载荷重增长是非线性的,导线张力增长较慢,且与档距大小有关。一般重冰线路档距都相对偏小,允许较大的过载冰重。据此认为,重冰区导线的设计安全系数采用2.5是合理的。

5.0.11 根据2008年1月~2月我国南方地区大面积冰灾的情况,受灾线路的地线由于不通电,致使地线覆冰严重,引起地线拉断及地线支架折断。因此,覆冰区加大地线截面及加强地线支架强度是提高线路抗冰能力的有效措施。

5.0.12 针对在输电线路上大量使用光纤复合架空地线(OPGW),增加了对光纤复合架空地线(OPGW)的选用要求;光纤复合架空地线(OPGW)的设计安全系数,宜大于导线的设计安全系数。OPGW应满足电气和机械使用条件的要求,重点对短路电流热容量和耐雷击性能进行校验。

5.0.13 目前运行线路上的导线、地线大多采用我国老国标电线产品,当其平均运行张力和相应的防振措施符合以往设计要求时,运行中未发现问题。导线型号和相应的铝钢截面比列入表18。

表18 运行线路导线型号和相应的铝钢截面比

导 线 型 号	铝钢截面比
LGJQ 型	8.01～8.07
LGJ 型	5.29～6.00
LGJJ 型	4.29～4.39

1 钢芯铝绞线的铝钢截面比愈小,则铝部的平均运行张力愈大。具有良好运行经验的钢芯铝绞线铝钢截面比最小值为4.29,因此采用现行国家标准中铝钢截面比不小于4.29的钢芯铝绞线。当采用镀锌钢绞线时,其平均运行张力上限仍可取以往设计标准规定值。如根据多年的运行经验证明所选用的年平均运行张力及相应的防振措施对导线、地线的振动危险很小时,可不受标准规定值的限制。

2 导线、地线的防振在高压线路设计中是一项重要的内容,高压线路由于档距较大,导线、地线悬挂点较高,在地形平坦,面粗糙度小的地区,高空层流风较稳定,输入给导地线的能量增达了,风速的增大,扩大了引起导线振动的风速的范围,增大了导线、地线振动的相对时间,且微风振动幅度比较大,容易引起导地线材料的疲劳,导致导线、地线断股断线事故的发生。例如500 kV 中山口、金口大跨越地线在1981年至1988年期间多次发生振动故障,造成防振锤脱落,地线断股,金具损坏。在500 kV 荆门斗笠变附近,近年来也多次发生过舞动现象。由于特高压线路的重要性,因此,防止或减小特高压线路导地线的微风振动、次振距振荡及舞动造成的危害就成为线路设计的一个重要问题。

(1)微风振动：

迄今国内外输电线路防止微风振动的措施，主要是采用防振锤或阻尼线的方式。由于极导线结构形式的影响，使四分裂导线的微风振动强度较单导线或双分裂导线低。分裂导线安装间隔棒后具有一定的消振作用，使分裂导线组合体不易引起微风振动。国内已建成的500kV交直流线路除大跨越外均为4分裂导线结构形式有多年来的运行经验：一般档距不需再考虑防振措施，只对档距在500m以上加装防振锤。

(2)次档距振荡：

分裂导线装设阻尼式间隔棒，并合理调整次档距距离，优化布置阻尼间隔棒，以加强对次档距振荡的防护。间隔棒的形式应结合防舞动措施一并考虑，以防止子导线鞭击、吸合，次档距分裂导线翻转、金具磨损，间隔棒疲劳等故障发生。

根据高压直流线路设计经验，±500kV直流线路采用四分裂导线，采用阻尼间隔棒时，档距在500m及以下可不再采用其他防振措施。导线推荐最大次档距不宜大于66m，平均次档距为50m～55m，端次档距宜控制在28m～35m。当线路经过重冰区、易舞区时，平均次档距和端次档距都应适当减小。阻尼间隔棒采用不等距安装、并避免对称布置。

宁东－山东±660kV直流线路采用大截面导线，采用阻尼间隔棒时，导线推荐最大次档距为66m，平均次档距为50m～55m，端次档距为25m～35m（在导线的分裂间距取450mm情况下）；当线路经过重冰区时，平均次档距和端次档距都应适当减小。间隔棒采用不等距安装，并避免对称布置。

(3)对于大跨越导地线防振技术要求，目前国内大跨越导地防振措施有：纯防振锤防振方案，阻尼线防振方案，阻尼线加防振锤联合防振方案，交叉阻尼线加防振锤联合防振方案，圣诞树阻尼线防振方案等，具体的大跨越导地线防振方案应根据运行经验或通过实验来确定。

(4)由于各地发生导线微风振动事故很多,危害也很大,在运行标准中也要求一般线路每5年,大跨越每2年测振一次,但我国导线微风振动许用动弯应变没有统一标准,结合国内外情况,参照电力建设研究所企业标准,提出各种导线的微风振动许用动弯应变值,供设计人员参考。悬垂线夹、间隔棒、防振锤等处导线上的动弯应变宜不大于符合表19所列值。

表19 导线微风振动许用动弯应变表($\mu\varepsilon$)

序号	导线类型	大跨越	普通档
1	钢芯铝绞线、铝包钢芯铝绞线	±100	±150
2	铝包钢绞线(导线)	±100	±150
3	铝包钢绞线(地线)	±150	±200
4	钢芯铝合金绞线	±120	±150
5	全铝合金绞线	±120	±150
6	镀锌钢绞线	±200	±300
7	OPGW(全铝合金线)	±120	±150
8	OPGW(铝合金和铝包钢混绞)	±120	±150
9	OPGW(全铝包钢线)	±150	±200

3 重冰区线路在大冰凌时导线悬垂线夹两侧存在很大不平衡张力差,迫使线夹滑动。而线夹是通过船体与压板将外层铝股导线紧紧握住的,在大的不平衡张力作用下,线夹握着力不够,此时,线夹将带着部分或全部外层铝股在钢芯上滑动,从而造成这部分铝股因伸长而被拉断。这种断股的特征是断口处均有明显的缩颈现象。

另一种情况是,当悬线夹两侧冰凌出现不同期脱冰时,如果一侧脱冰量很大,不但会造成导线大跳跃摆动,而且会在悬垂线夹产生很大的不平衡张力,这使悬垂线夹滑动,同样可能出现断股事故,但这是在瞬间冲击力作用下产生的断股,其特征是断口处没有缩颈现象。

导线覆冰舞动也是冰害事故之一。在有利的气候条件下,在一些特定地区,往往反复出现,持续时间相对较长,所以在悬垂线夹处对导线的损害主要是磨损性的,在长时期作用下也可能导致断股。

为防止断股事故的发生,1969年在110kV水盘线冰害事故改造中,曾将部分严重断股处悬垂线夹加装早期圆锥型护线条保护,运行情况尚好。另外,20世纪70年代中曾进行重冰区悬垂线夹改制工作,即推出了一种两块压板、四个紧固螺栓的加强型线夹,提高了线夹的握着力,减少了断股事故的发生。1987年在我国第一条500kV天贵重冰线路设计中推荐使用了预绞丝护线条保护,该工程1992年投产至今运行情况良好。据此认为今后重覆冰线路的悬垂线夹处宜采用预绞丝护线条保护。既可防止断股,又可减少导线的烧伤损害。

5.0.14 输电线路通过导线易舞动地区时,应适当提高线路抗舞能力,并预留导线防舞动措施安装孔位。东北的鞍山、丹东、锦州一带,湖北的荆门、荆州一带是全国范围内输电线路发生舞动较多的地区,导线舞动对线路安全运行所造成的危害十分重大,诸如线路频繁跳闸与停电、导线的磨损、烧伤、断线,金具及铁塔部件损坏等,可能导致重大的经济损失与社会影响。

现行的防舞措施,概括起来大约可分为三大类:其一,从气象条件考虑,避开易于形成舞动的覆冰区域与线路走向;其二,从机械与电气的角度,提高线路系统抵抗舞动的能力;其三,从改变与调整导线系统的参数出发,采取各种防舞装置与措施,抑制舞动的发生。防舞动装置有集中防振锤、失谐摆、双摆防舞器、终端阻尼器、空气动力阻尼器、扰流防舞器、大电流融冰等,国内目前用得较多的防舞装置为集中防振锤、失谐摆、双摆防舞器等。具体方案可通过运行经验或试验确定。

5.0.15 对未张拉过的导线、地线受力后除产生弹性伸长和塑性伸长外,还随着受力的累积效应产生蠕变伸长。塑性伸长及蠕变伸长均为永久变形(以下简称塑性伸长)。为考虑塑性伸长对弧垂的影响,线路理想的施工工艺是按塑性伸长曲线(蠕变曲线)架设导线、地线。我国电线制造厂家目前不提供塑性伸长曲线，对依据现行国家标准的电线产品又无系统的塑性伸长资料，故导线、地线的塑性伸长相应的降温值仍取原电力标准的采用值。原电力标准对钢芯铝绞线塑性伸长采用值如表20。

表20 以往设计标准钢芯铝绞线塑性伸长采用值

电线型号	铝钢截面比	塑性伸长
轻型钢芯铝绞线（LGJQ型）	8.01～8.07	4×10^{-4}～5×10^{-4}
钢芯铝绞线（LGJ型）	5.29～6.00	3×10^{-4}～4×10^{-4}
加强型钢芯铝绞线（LGJJ型）	4.29～4.39	3×10^{-4}

对现行国家标准《圆线同心绞架空导线》GB/T 1179中铝钢截面比为4.29～7.91者，参考表21，其长期运行后产生的塑性伸长取值如下表。

表21 钢芯铝绞线塑性伸长采用值

铝钢截面比	塑性伸长取值
7.71～7.91	4×10^{-4}～5×10^{-4}
5.05～6.16	3×10^{-4}～4×10^{-4}
4.29～4.38	3×10^{-4}

目前，输电线路输送容量增大，输电线路中大量选用大铝钢截面比导线，如630、720、800、900、1000导线，为此在钢芯铝绞线塑性伸长表及钢芯铝绞线降温值表中补充铝钢截面比11.34～14.46的内容，并提出对铝钢截面比更大的钢芯铝绞线或钢芯铝合金绞线应采用制造厂家提供的塑性伸长值或降温值。

6 绝缘子和金具

6.0.1 国内自20世纪80年代末开始批量使用复合绝缘子,荷载设计安全系数大都为3.0,至今运行情况良好,虽出现极个别串脆断,多属产品质量问题。故复合绝缘子最大使用荷载设计安全系数取3.0较为合适。90年代开始使用瓷棒绝缘子,根据德国运行经验最大使用荷载设计安全系数取3.0,运行情况良好。

以前的线路设计标准对瓷质盘型绝缘子有校验常年荷载安全系数的要求,是针对当初瓷绝缘子质量不稳定,发生事故较多而提出的,目前国产瓷绝缘子产品质量不断提高,在有条件择优选购的情况下,在限制常年荷载的问题上瓷质绝缘子和玻璃绝缘子可以等同看待;电力规划设计总院以电规总送(2002)73号文,对华东电力设计院《关于盘型绝缘子常年荷载安全系数的复函》,已明确在择优采购的情况下,瓷和玻璃绝缘子在限制常年荷载问题上可以等同看待,其常年安全系数一般输电线路工程按不低于4.0考虑。常年荷载状态下安全系数不仅对绝缘子有影响,对金属件也有影响,电力行业标准要求所有绝缘子均通过微风振动的试验,因此常年荷载安全系数取4.0适用所有绝缘子。

6.0.4 本条为强制性条文,必须严格执行。金具强度安全系数取值与国外一些国家数值基本相同,经运行考验,无不良反映。和以前的线路设计标准相比,增加验算工况安全系数1.5。

6.0.5 绝缘子串及金具防止发生电晕的措施可采用均压环、屏蔽环及金具自身防晕等办法。防电晕的目的主要是控制无线电干扰,对于减少电能损耗及防止金具腐蚀也有作用。

一般认为绝缘子的无线电干扰是一恒定电流源产生,因此可取与试品串联的检测电阻的两端电压来进行度量,所测得的电压称为无线电干扰电压(RIV),通常用 dB 单位表示,且取 $1\mu V$ 为 0dB,一般每相绝缘子串干扰电压上限为 55dB。测量方法可按现行国家标准《电力金具试验方法 第 2 部分:电晕和无线电干扰试验》GB 2317.2 或参考美国全国电气制造商协会(NEMA)法、国际无线电干扰特别委员会(CISPR)法及 IEC1284"电晕和无线电干扰电压试验"。

当金具用于海拔高于 1000m 地区时,位于低海拔地区的试验室应将试验电压乘以海拔修正系数 K_H:

$$U_H = K_H \times U_0 \tag{8}$$

$$K_H = 1/(1.1 - 0.1 \times H) \tag{9}$$

式中:H——海拔高度(km)。

6.0.6 直流线路地线一般是直接接地的。如果直流线路在接地极附近通过,当直流系统以大地返回方式运行(特别是大电流运行)时,由于大地电位升高,直流地电流可能通过杆塔和地线从一个杆塔流进,从另一个杆塔流出,从而导致杆塔和基础被腐蚀。

此外,如果直流(交流)线路与接地极很近,当直流系统以大地返回方式运行(特别是大电流运行)时,地电流可能通过杆塔和地线返回到换流站(变电站)接地网,再通过接地网、中性点接地的变压器流入到交流系统中,从而导致变压器磁饱和。缓解或消除接地极地电流对杆塔的腐蚀影响和对换流站(变电站)变压器磁饱和影响的方法比较简单,只要将靠近接地极的线路地线进行绝缘即可解决问题,离 5km 以外的地线是否绝缘应经过模拟计算确定。

6.0.7 绝缘子串与横担联接的第一个金具受力较复杂,国内早期运行经验已经证明这一金具不应采用可锻铸铁制造的产品;1988 年发生在 500kV 大房线上的球头断裂事故证明:第一个金具不够灵活,不但本身易受磨损,还将引起相邻的其他金具受到损坏。因此在选择第一个金具时,应从强度、材料、形式三方面考虑。国外对此金具也有特殊考虑的事例，加拿大 BC 省水电局是采取提高一个强度等级的措施；日本则通过疲劳，磨损等试验对各种金具型式进行选择；意大利设计了一种两个方向的回转轴心基本上在同一个平面上的金具，使得两个方向转动都较灵活。因此，对联塔第一个金具的选择，除了要求结构上灵活外，同时要求强度上提高一个等级。

6.0.8 在线路设计中，为了缩小走廊宽度，减少悬垂串的风偏摇摆，V 型串的使用日趋广泛，根据试验和设计研究成果，330kV 以上输电线路悬垂 V 串两肢间夹角之半可比最大风偏角小 5°～10°，或通过试验确定。目前，发生了多起 V 型串大风情况下球、碗头脱落事故，因此，应采取控制球、碗头加工尺寸或新型金具方案。

6.0.9 在路经选择时应尽量避开易发生舞动地区，无法避让时，要采取提高线路的机械强度，并预留安装抑舞装置的措施。

6.0.10 根据 2008 年初我国南方地区覆冰灾害情况的教训，为防止或减少重要线路冰闪事故的发生需采取增加绝缘子串长和采用 V 型串、八字串等措施。

6.0.11 重冰区耐张型杆塔应加跳线绝缘子串。

重冰区线路在冰凌融化阶段，耐张杆塔的跳线，可能由于导线脱冰跳跃而随之跳动，以致跳线对横担下平面的间距减少而引起闪络。这类事故在早期运行的重冰线路上曾出现过，计有：

（1）四川 220kV 南九线 N168 耐张塔，1987 年冰期过后检查，发现左相跳线烧断 3 股，右相跳线被烧断 2 股，加装跳线绝缘子串后，未再发现；

（2）云南 110kV 洛昭线，导线覆冰直径达 300mm（雾凇类），导线脱冰跳跃后，造成 N54、N65、N71 等耐张杆塔跳线对横担闪络放电，运行单位将重冰区段内耐张塔全部加装跳线绝缘子串后，未再出现类似现象。

综合上述运行经验，为了防止跳线闪络事故重复发生，故规定重冰区线路耐张型杆塔的跳线应加装跳线绝缘子串。另根据四川500kV二自线跳线的运行经验，跳线弛度在允许条件下应尽量松弛些，以免在耐张串波动时，牵动跳线串使之受压，从而导致绝缘子的弹簧垫磨损，球头脱出等事故的发生。

7 绝缘配合、防雷和接地

7.0.1 作为绝缘配合的基本原则,直流线路瓷或玻璃绝缘子串以及直流棒形悬式复合绝缘子,都应能耐受额定工作电压、操作过电压和雷电过电压。

7.0.2 直流绝缘子的积污较交流绝缘子严重,而其操作过电压水平也不高,故瓷或玻璃悬垂绝缘子串的绝缘子片数由污秽条件下的额定工作电压决定,操作过电压一般不成为选择绝缘子片数的决定条件。

根据±500kV直流线路上过电压研究,其操作过电压水平在1.5pu～1.8pu,最大操作过电压发生在线路中间。目前国内±660kV直流线路操作过电压水平计算结果在1.7pu左右。

由于绝缘子表面脏污时沿面放电过程是其表面干燥带的形成及局部电弧的发展过程。对污秽条件下绝缘子纯操作冲击强度存在不同看法,一种看法为污秽物使绝缘子操作冲击耐受强度降低,另一种看法认为,在中等程度污秽条件下,绝缘子的操作冲击耐受强度,将高于清洁湿耐受值,即使在重污秽下也仅很少下降或不下降,但均认为污秽绝缘子的操作冲击闪络电压都随污秽程度的增加而降低。根据美国EPRI试验验证,在同一污秽条件下,同型号的绝缘子的直流操作耐压为直流耐压的2.2倍～2.3倍。又根据大量试验研究证明,当预加直流电压时,其50%操作冲击电压是50%污闪运行电压的1.7倍～2.3倍。因此,操作过电压对绝缘子片数的选择不起控制作用。

雷电过电压则仅用以校验线路的耐雷水平是否满足需要。由于污秽原因,直流线路的绝缘子片数(串长)较交流线路还长,其在雷电冲击电压下的绝缘裕度较大,反击雷电流超过200kA,雷电过电压对绝缘子片数的选择不起控制作用。

7.0.3 本条给出了直流线路防污设计的基本原则。全国电力系统的运行管理部门都开展了划定污区分布图的工作,并定期进行修订,有力地指导了防污闪工作。但是污区分布图直接用于直流,还需要充分考虑在交直流电压下绝缘子积污特性的差异,以及直流电压下不同类型绝缘子的污耐压特性试验结果,使绝缘选择的工作更趋于科学、合理。从理论上讲,按自然积污的闪络特性选择绝缘子片数较合适,然而这对于实际工程而言是难以做到的,所以目前主要根据直流绝缘子的人工污秽的闪络特性来确定直流线路绝缘子片数。

(1)爬电比距法:

当直流绝缘子无可靠数据时,也可参照污秽等级按爬电比距法选择绝缘子片数。按爬电比距选择绝缘子片数是交流线路常用的方法,此方法在交流上已有很长时间的运行经验,简单易行。但直流线路按爬电比距选取绝缘子片数还缺乏足够的运行经验,只能总结现有交流线路的运行经验,再考虑二者积污特性和污闪特性的差别,外推到直流线路的设计中。

直流线路极电压是同等级交流线路相电压的$\sqrt{3}$倍,因此直流的爬距要求最起码是交流的$\sqrt{3}$倍,另外还应考虑两者之间的积污差异和污闪特性差异。

±500kV葛南线路设计时,根据对原电力部提出的我国电网110kV~220kV线路防污运行经验数据的分析,得出导线对地电压情况下爬电比距与等值盐密的关系曲线及对数拟合表达式,见下式。

±500kV葛南线路设计时,根据对原电力部提出的我国电网110kV~220kV线路防污运行经验数据的分析,得出导线对地电压情况下爬电比距与等值盐密的关系曲线及对数拟合表达式,见下式:

$$L = 0.8891 \times \ln(ESDD) + 6.2606 \quad (10)$$

式中:L——要求的爬电比距(cm/kV);

$ESDD$——等值盐密(mg/cm^2)。

2000年5月中国电力科学研究院曾会同有关省电力试验研

究所对葛上直流线路的外绝缘运行状况进行调查,并将葛上直流绝缘子串的放电现象和邻近的交流线路进行了对照比较,发现当直流绝缘子串的实际工作比距低于交流绝缘子串的1.7倍时,表面放电状态存在较为明显的差别,当比距倍数为1.9~2.0时,两者的表面放电趋向同一。参照电科院对交直流积污比的研究,根据对葛南直流线路与附近交流线路绝缘子积污的测试结果,当用爬电比距法选择绝缘子片数时,直流线路的爬电比距不宜小于同地区交流线路爬电比距的2.0倍。

(2)污耐压法:

污耐压法是在现场污秽调研和试验研究的基础上,充分考虑污秽成分、上下表面污秽不均匀、灰密等因素对绝缘子污闪电压的影响,并考虑试验分散性后给出的绝缘配置方案。新电压等级线路或者采用新型绝缘子,原则上要用此法。本文有关绝缘子盐密与耐压的关系采用 NGK 的直流绝缘子的污耐压值进行计算,从 ±500kV 葛南、天广、龙政、三广、贵广、三沪线到 ±660kV 宁东线无不如此。

污闪特性还受灰密的影响,试验得出绝缘子人工污秽耐受电压与灰密的 -0.12 次方成比例的降低;同时,由于自然污秽绝缘子每片上下表面、同一表面的不同部位之间污秽量分布不一样,其污闪电压较均匀积污有所提高,根据美国有关试验得出了初步增大系数。在 ±500kV 三沪线设计中,各设计院统一了计算方法,程序如下,以 ±660 宁东线为例,按污耐压方法选择绝缘子过程如表22所示。

表22 按污耐压法选择片数

污 秽 等 级	清洁区	轻污区	中污区	重污区
盐密(下表面)(mg/m^2)	0.03	0.05	0.08	0.15
绝缘子上下表面积污比	1:3	1:5	1:8	1:10
灰密 H_1(mg/cm^2)	0.18	0.30	0.48	0.90
要求耐受电压 V_{50}(kV)	680/(1-3×0.07)=861			

续表 22

污 秽 等 级	清洁区	轻污区	中污区	重污区
NGK 提供 V'_{50}(kV)（灰密 $H_2=0.1\text{mg/cm}^2$）	17.7	15.0	12.8	10.7
灰密修正系数 $K_1=(H_1/H_2)^{-0.12}$	0.932	0.876	0.828	0.768
灰密校正后 $V''_{50}=V'_{50}\times K_1$(kV)	16.5	13.14	10.6	8.22
上下表面积污比校核系数 $K_2=Y=1-0.38\lg(T/B)$	1.181	1.266	1.343	1.38
积污比校正后 $V'''_{50}=K_2\times V''_{50}$(kV)	19.49 (19.21)	16.64 (15.53)	14.24 (12.62)	11.34 (9.81)
绝缘片数	45(45)	52(56)	61(69)	76(88)

注：括号内的值参照中国电科院数据。

以往我国±500kV 线路的绝缘配置，是按 NGK 公司推荐的方法和污耐压曲线进行的，与目前电科院采用方法的程序有所差别。±660kV 线路绝缘子片数分别采用两种计算方法得到的结果差别不大，基本处于同一绝缘水平。

"V"型串污耐压较单"I"型串高，主要原因在以下几个方面：

1)"V"型串的电弧较单"I"型串易飘移，绝缘子串表面不易形成线状放电，与单 I 串紧贴绝缘子串的电弧短接形式不同；

2)"V"型串特殊的布置方式改善了绝缘子串的对地电容，使容性电流对绝缘子串的影响减小，提高了其污闪电压；

3)在合理的污秽设计下，"V"型串的积污特性要优于"I"型串，仅为"I"型串的 85%甚至更低。

(3)其他电压等级线路绝缘水平外推法：

±660 宁东线设计时，参考了±500kV 线路绝缘水平，对其进行外推。±500kV 三沪线，取消了 0 级污区，I 级污区采用不低于 40 片绝缘子(间隙 42 片)，绝缘配置水平较其他线路有较大提高。

考虑到南北方污秽差异，且北方雨水较少，因此±660kV 绝缘子的推算片数按 42 片起。假定绝缘子串的污耐压与串长成正比,参照以上线路的运行情况,从±500kV线路绝缘水平外推,得出±660kV线路要求的片数如表23所示。

表23 ±500kV线路绝缘水平外推的±660kV线路的绝缘配置

污秽等级	轻污区	中污区	重污区
按37片推算	49	60	70
按40片推算	53	64	75
按42片推算	56	67	81

7.0.4 覆冰绝缘子的耐压特性是:

(1)在覆冰的湿增长过程中,在绝缘子伞裙边挂有冰柱,最严重的情况是上下绝缘子伞裙被冰柱"桥接",桥接干弧距离2/3时,放电电压接近最低值。在融冰过程中,冰柱部分先融化,间隙形成"水帘",后者使绝缘子耐压降到最低。

绝缘子覆冰闪络发生在融冰过程中的概率大于覆冰过程,闪络既可能发生在沿冰层外表面,亦可能出现在沿冰层和绝缘子接触的内表面;水越重,冰柱越长、越多,沿外表闪络的概率越大。

国内外直流绝缘子覆冰耐压梯度试验数据见下表:

表24 国内外直流绝缘子覆冰耐压梯度试验数据

单 位	绝缘子尺寸(mm)	每串片数	冰水导电率($\mu s/cm$)	电压梯度(kV/m)	备注
中国电科学院	$\frac{\phi 120}{H170}$	20	57	106	最小放电电压、室外
		19	108	86.6	
		19	450	52.6	
美国BPA 美国EPRI	$\frac{\phi 327}{H165}$	20	10	99	最小放电电压、室外
			15.6	95	
			238	69	
重庆大学	$\frac{\phi 320}{H170}$	9~21	100~200	78.1~80	最小放电电压、室内
美国EPRI	$\frac{\phi 320}{H170}$	38	32.3	68	最小放电电压、室外
日本(RIEPI)	$\frac{\phi 320}{H165}$	10	25	80	耐受电压、室外

式(7.0.4)相当于试验数据的包络线下限,偏安全。考虑到冰水电导率大于150μs/cm 的试验数据不多,故作此规定。

(2)覆冰绝缘子的耐压特性:

1)重庆大学2001年~2004年与西南电力设计院合作,进行"高海拔地区覆冰直流绝缘子闪络特性的研究",在该校大型多功能人工气候室(直径7.8m、高11.6m)进行带电覆冰直流耐压试验,获得的如下成果可供参考使用。

①覆冰厚度对直流闪络电压的影响。根据7片LXP-160绝缘子串试验得出降低系数 K 为:

$$K = e^{-\alpha d} \tag{11}$$

式中:α——影响特征指数,见表25;

d——绝缘子的平均覆冰厚度(mm)。

表25 影响特征指数

气压(kPa)		98.6	89.9	79.9	70.9	61.9
相应的海拔高程(m)		200	1000	2000	3000	4000
α 值	(+)	0.023	0.021	0.019	0.018	0.016
	(−)	0.023	0.021	0.020	0.017	0.016

注:+代表正极性,−代表负极性。

②直流闪络电压与覆冰水电导率的关系。根据三种形式直流绝缘子各2片,在融冰状况下所得出的最低闪络电压值见表26。

表26 在融冰状况下得出的最低闪络电压值

20℃冰水导电率(μS/cm)		160	335	840	1120
最低闪络电压(kV)	XZP-160	79	76	68	61
	LXZP-210	80	78	71	64
	XZWP-160	(80)	60	42	38

③覆冰绝缘子串直流闪络电压与污秽附盐密度的关系。根据长串25片两种直流绝缘子LXP-160和XZP-160在融冰期的最低闪络电压 U_{fmin} 为:

$$U_{\text{fmin}}(25)=25\times B(1)\times \rho_{\text{ESDD}}^{-C}(\text{kV}) \tag{12}$$

式中：$B(1)$——单片绝缘子的最低冰闪电压的系数；

ρ_{ESDD}——等值附盐密度值(mg/cm^2)；

C——污秽影响的特征指数，见表27。

表27 覆冰绝缘子串直流闪络电压与污秽附盐密度的关系

气压(kPa)			98.6	89.9	79.9	70.9	61.9
相应海拔高程(m)			200	1000	2000	3000	4000
LXP-160	（＋）	B	113.9	111.2	108.1	104.8	102.0
		C	0.382	0.372	0.359	0.346	0.329
	（－）	B	95.4	92.5	91.7	90.0	88.6
		C	0.379	0.377	0.361	0.347	0.330
XZP-160	（＋）	B	112.6	108.3	103.9	99.0	93.8
		C	0.371	0.363	0.352	0.343	0.331
	（－）	B	94.1	90.1	86.6	82.6	78.6
		C	0.369	0.363	0.353	0.343	0.333

注：＋代表正极性，－代表负极性。

（3）国内部分直流线路冰闪覆冰耐压梯度情况摘录见表28。

±500kV高肇线2007年1月在贵州境内发生了4次冰闪，测得的技术参数如下：

表28 ±500kV高肇线冰闪事故

序号	塔号	塔号高程(m)	污区等级	设计冰厚(mm)	绝缘子串号	受压梯度(kV/m)
1	181	1308.7	Ⅱ	10	38×ZP-210	77.4
2	158	1395.3	Ⅱ	10	35300P/C195DC	73.3
3	58	1449.5	Ⅱ	10	38×ZP-160	77.4
4	61	1508.6	Ⅱ	10	36300P/C195DC	71.2

注：在附近下落于地面冰块的冰水电导率为29.0μs/cm～35.1μs/cm。

±500kV葛南线在1996年1月连续冰闪4次，事故发生在大别山段1131～1135塔，30片CA735EZ绝缘子，耐压梯度为

98.0kV/m。

±500kV 龙政线,2005 年和 2006 年连续发生冰闪,1113 号冰闪塔位于安徽霍山县山区,海拔约 500m,29 片 ZP-300 绝缘子,耐压梯度为 88.4kV/m。

7.0.5 我国直流线路污区一般划分为清洁区(或一般地区)、轻污区、中污区和重污区,对应的等值盐密分别为 $0.03mg/cm^2$,$0.05mg/cm^2$,$0.08mg/cm^2$ 和 $0.15mg/cm^2$,对应的灰密分别为 $0.18mg/cm^2$,$0.3mg/cm^2$,$0.48mg/cm^2$ 和 $0.9\ mg/cm^2$。

我国第一条±500kV 直流线路葛上直流(葛洲坝—上海),最少绝缘子片数为 30 片和 32 片,第二条直流线路天广直流(天生桥—广州)绝缘配置同葛上直流基本一致,最少绝缘子片数为 32 片。龙政直流(三峡—常州)最少绝缘子片数提高到了 34 片。

葛上直流 1989 年 9 月 17 日单极投入运行,1990 年 8 月双极投运。1998 年 9 月之前由于负荷交换不多,直流线路多在低电压下运行,污闪情况反映不多。全压满负荷运行后,污闪不断发生,至 2000 年 4 月,全线共发生污闪 20 次(1990 年 2 次,1992 年 1 次,1995 年 1 次,1996 年 2 次,1997 年 3 次,1998 年 2 次,1999 年 5 次,2000 年 1 月~5 月 4 次)。葛上直流于 2000 年底进行了大规模的调爬,这次调爬尽量增加绝缘子片数(从原来 30 片或 32 片增加至 34 片),摇摆角不满足要求的杆塔采用合成绝缘子。调爬后至 2002 年底,湖北段又发生 4 次污闪,华东段也发生多次。因而 2002 年底又进行了第二次大规模的调爬。经两次调爬后,大部分悬垂串和跳线串已更换为合成绝缘子(湖北段使用合成绝缘子的杆塔已占总数的 70%以上),耐张串涂刷 RTV 涂料。

天广直流 2000 年 12 月 26 日单极投运,2001 年 6 月 26 日双极投运,投运伊始就是全电压运行。从 2001 年 7 月份开始在凌晨大雾情况下许多杆塔绝缘子有异常响声和发光等现象,8 月份就发生了闪络,至 2002 年初全线共发生三次污闪。2002 年 2 月进行了全线调爬,一般地区都尽量调到34片或35片,不能增加绝缘子地方则更换为合成绝缘子。2003年无污闪,2004年全线发生3次污闪,均在广东境内。2005年1月,广东段进行全线调爬,主要采用了更换合成绝缘子和安装增爬裙的措施,2005年4月起,贵州和广西段也陆续调爬。

龙政(三常)直流2002年12月21日单极投运,2003年6月21日双极投运,投运后一直处于满负荷全压运行。2004年1月6日,安徽段发生首次污闪跳闸;2004年2月19日,江苏段又发生两次污闪跳闸。2004年3月,龙政线全线进行了调爬,一般地区绝缘子片数尽量调至37片,由于杆塔尺寸限制不能增加片数的采用合成绝缘子,耐张串涂刷RTV涂料。2004年11月至12月,安徽段由于大雾又发生多次污闪,2005年2月湖北段荆门地区由于大雾短时间内连续发生多次污闪跳闸。2005年3月,全线进行第二次调爬,采用加片数、更换合成绝缘子及涂刷RTV涂料等方法提高绝缘强度。两次调爬后,全线大部分杆塔采用了合成绝缘子,如湖北段399km线路60%杆塔使用了合成绝缘子,总数达到了2150支(刚投运时合成绝缘子数量为930支)。

2001年和2002年开始设计的贵广一回直流(贵州—广东)和三广直流(三峡—广东),污区划分时取消了清洁区,起步最少绝缘子片数为37片,局部污秽严重时增加绝缘子片数,使用的合成绝缘子数量也较多。三广直流2004年2月8日单极投运,2004年6月6日双极投运,一投运即处于满负荷全压运行,运行后一年半时间未发生污闪,但2005年12月份湖南段发生多次污闪。贵广直流2004年7月16日单极投运,2004年9月20日双极投运,一投运即处于满负荷全压运行。到目前为止近两年时间未发生污闪。最近设计的几条支流线路绝缘子片数都不低于37片,达到了40片。

根据近年来我国±500kV和±800kV线路的运行经验和设

计经验,按其他电压等级线路绝缘水平外推,±660kV线路"I"型串采用53片绝缘子高度为170mm的绝缘子组成的悬垂绝缘子串可以满足轻污区耐压要求。

目前,国内投入运行的贵广±500kV直流线路,在20mm冰区(最高海拔1570m),采用了44片160kN和210kN防污型钟罩直流绝缘子,自2005年投运以来,未发生冰闪事故,因此一般情况下,在海拔2000m及以下清洁地区,±500kV重冰区线路若采用160kN和210kN防污型直流绝缘子,片数宜不少于44片,折算至1000m为42片。相应推算±660kV直流线路1000m以下清洁地区片数宜不少于55片。

7.0.6 运行经验表明,由于耐张绝缘子串受力比悬垂绝缘子串大,容易产生零值绝缘子,因而通常使用耐张绝缘子片数比同级悬垂串绝缘子片数增加1片～2片。但考虑到耐张绝缘子串悬挂方式不同于悬垂串,自清洗能力较强,耐张串的绝缘子片数在悬垂串片数的基础上不再考虑增加。国内外超、特高压交直流线路耐张绝缘子串均采用盘式瓷或玻璃绝缘子,而不考虑采用合成绝缘子,所以同等污秽和海拔高度条件耐张串与悬垂串取相同的绝缘子片数。

直流线路耐张串也曾发生过污闪,在雨水不是特别充足的地区耐张串绝缘子片数宜不少于悬垂绝缘子片数。对于重污秽地区,耐张串绝缘子片数能否减少可根据运行经验确定。

7.0.7 复合绝缘子在直流线路应用越来越多,宁东工程设计情况是:轻污区,复合绝缘子同盘式绝缘子爬距基本相当;中、重污区,复合绝缘子爬距低于盘式绝缘子爬距,但不小于3/4。中、重污区复合绝缘子的使用情况有待以后实际运行情况的进一步检验。由于有效绝缘长度减小,而绝缘耐雷水平与绝缘长度密切相关,因此条文中强调了应满足雷电过电压的要求。

宁东至山东±660kV直流线路工程推荐的合成绝缘子串长及爬距配置见表29。

表29 合成绝缘子长度和爬距

海拔(m) \ 污区	轻污区 (0.05mg/cm²)	中污区 (0.08mg/cm²)	重污区 (0.15mg/cm²)
	合成绝缘子串长度(m)/爬距(m)		
1000	8.5/29.6	8.5/29.6	9.2/32.0
1500	8.5/29.6	8.5/29.6	9.2/32.0
2000	9.2/32.0	9.2/32.0	9.2/32.0

注:以上绝缘配置不含重冰区的绝缘配置。

7.0.8 高海拔地区,随着海拔升高或气压降低,污秽绝缘子的闪络电压随之降低,高海拔所需绝缘子片数按正文第7.0.8条进行修正,公式中 m_1 为特征指数,应根据实际试验数据确定,直流绝缘子如无试验数据,可参考交流绝缘子 m_1 试验值,一般可取 0.4~0.6。部分形状绝缘子 m_1 值的参考值见下表30所示。

表30 部分形状绝缘子的 m_1 值的参考值

绝缘子形式	普通形	双伞防污形	三伞防污形
m_1	0.5	0.38	0.31

7.0.9 操作过电压要求的线路绝缘子串正极性50%操作冲击放电电压应符合式(13)的要求。

$$U_{50\%} \geqslant KK_0 U_m \tag{13}$$

式中:$U_{50\%}$——绝缘子串的正极性50%操作冲击放电电压(kV);

K——操作过电压倍数;

K_0——线路绝缘子串操作过电压配合系数,1.25;

U_m——最高运行电压。

绝缘子串风偏后导线对杆塔空气间隙的直流50%放电电压应符合式(14)的要求:

$$U_{50\%N} = \frac{K_2 K_3}{(1-3\sigma_N)K_1} U_e \tag{14}$$

式中:U_e——额定工作电压;

K_1, K_2——直流电压下间隙放电电压的空气密度、湿度校正系数;

K_3——安全系数,1.15;如绝缘子串为 V 型串,K_3 取 1.25;

σ_N——空气间隙直流放电电压的变异系数,可取 0.9%。

计算直流电压下绝缘子串风偏角的风速取线路最大设计风速。

绝缘子串风偏后导线对杆塔空气间隙的正极性 50% 操作冲击放电电压应符合式(15)的要求:

$$U_{50\%s} = \frac{K_2' K_3'}{(1-2\sigma_s)K_1'} U_m \qquad (15)$$

式中:U_m——最高运行电压(kV);

K_1', K_2'——操作冲击电压下间隙放电电压的空气密度、湿度校正系数;

K_3'——操作过电压倍数,一般可取 1.7;

σ_s——空气间隙在操作电压下放电电压的变异系数,可取 5%。

计算操作冲击电压下绝缘子串风偏角的风速取 0.5 倍的线路最大设计风速。

风偏后导线对杆塔构件的空气间隙,应分别满足工作电压、操作过电压及雷电过电压的要求。

±500kV 直流输电线路取值根据中国电科院试验所得的直流 50% 操作闪络电压与空气间隙的关系曲线得来。泰西蒙公司在咨询葛上直流和天广直流工程时用 TROP 程序算得操作过电压所要求的空气间隙值 500m 和 1000m 海拔分别为 2.75m 和 2.95m。我国直流线路实际设计时操作过电压空气间隙取值为 2.75m 和 2.95m,因为塔头间隙园主要受工作电压控制,操作过电压空气间隙取 2.75m 和 2.95m 不会加大杆塔尺寸,对线路的经济指标不会有什么明显的影响。

±660kV 宁东线设计时,单回线路空气间隙的选择如下。

(1)工作电压空气间隙:

中国电力科学研究院对直流塔头空气间隙的研究结果表明,直流工作电压下导线-杆塔空气间隙的放电电压与间隙距离呈线性关系。由曲线得出正极性直流放电电压梯度约为488kV/m。按照上述计算公式计算得到的工作电压下的空气间隙距离见表31。

表31 工作电压下的空气间隙距离

海拔高度(m)	0	500	1000	1500	2000
IEC 60071-2校正(m)	1.60	1.70	1.81	1.92	2.04
推荐值(m)	1.60	1.70	1.85	1.95	2.05

(2)操作过电压空气间隙：

导线对杆塔空气间隙的正极性50%操作冲击放电电压$U_{50\%s}$参照上述计算公式。中国电力科学研究院，根据华北院提供的塔型及结构尺寸，选择位于北京的国网公司特高压直流试验基地户外场和位于西宁的海拔高度2254m的青海高海拔高电压试验站开展操作冲击电压对比试验研究工作。分别在两地进行了V型绝缘子串模拟塔头间隙操作冲击放电试验。

根据真型塔的试验曲线，可得±660kV单回线路杆塔最小空气间隙距离的推荐值，见表32。

表32 1.8p.u.下不同海拔高度时单回杆塔空气间隙距离

海拔高度(m)	海拔修正系数	50%放电电压(kV)	V型串塔头间隙计算最小净空距离(m)	V型串塔头间隙推荐最小净空距离(m)
≤1000	1.070	1488	4.3	4.6
1500	1.105	1537	4.6	4.9
2000	1.141	1587	4.9	5.2

根据同样计算方法，可得1.7p.u.过电压下，不同海拔高度时的单回杆塔空气间隙距离的推荐值，见表33。

表33 1.7p.u.下不同海拔高度时单回杆塔空气间隙距离

海拔高度(m)	海拔修正系数	50%放电电压(kV)	V型串塔头间隙计算最小净空距离(m)	V型串塔头间隙推荐最小净空距离(m)
≤1000	1.073	1410	3.9	4.2
1500	1.109	1457	4.1	4.4
2000	1.145	1505	4.4	4.7

需要说明的是，以上计算得出的塔头间隙距离是基于使用

±800kV导线和配套金具(包括均压环)通过试验得出的试验数据。由于±660kV线路实际使用的均压环尺寸与±800kV不同,那么由于电极形状的改变,空气间隙的操作冲击放电电压会有所改变,所需的最小间隙距离也会相应地变化。

根据±660kV宁东工程线路的过电压计算结果和沿线海拔高度实际情况,线路最高操作过电压发生在线路中点±25km内,操作过电压倍数取1.75p.u.,此段的海拔高度为1550m;线路其他位置的操作过电压倍数按1.69p.u.选取,最高海拔高度为1800m。1000m以下的间隙值为4.1m。

(3)雷电过电压要求的空气间隙:

在雷电过电压情况下,其空气间隙的正极性雷电冲击放电电压应与绝缘子串的50%雷电冲击放电电压相匹配。不必按绝缘子串的50%雷电冲击放电电压的100%确定间隙,只需按绝缘子串的50%雷电冲击放电电压的80%确定间隙(间隙按0级污秽要求的绝缘长度配合)或雷电过电压间隙不予规定。即按下式进行配合。

$$U'_{50\%} = 80\% \cdot U_{50\%} \quad (16)$$

式中:$U_{50\%}$为绝缘子串的50%雷电冲击放电电压(kV)。其数值可根据绝缘子串的雷电冲击试验获得或由绝缘长度求得。

对于高压直流线路而言,一般不考虑雷电过电压情况。一直以来的观点认为,直流线路并不怕雷击,因为就算雷击造成了绝缘子串闪络或带电部分对塔身放电,在很短时间(100ms)内,直流系统两端控制系统能很快动作,使故障极闭锁,因此,直流线路雷击闪络对绝缘子和导线造成的损伤比交流系统要轻得多。另外,故障极在很短的时间内就能够升压启动(相当于交流自动重合闸),如空气自绝缘恢复则就能很快恢复供电。直流两极电压相差较大,相当于两极不平衡绝缘,雷击不会造成两极同时故障,即使一极雷击故障,另一极仍可输送额定功率的一半,因此直流系统遭雷击对系统的影响与交流相比要小得多。所以自±500kV葛上直流以来,直流线路在进行塔头尺寸规划时并没将雷电过电压下的空气间隙作为控制条件,±660kV 直流亦是如此。

7.0.10 本条文规定了直流输电线路带电作业条件下带电部分对杆塔接地部分的校验条件和校验间隙。

操作过电压幅值具有正态分布、韦尔斯分布或极值分布的特点,在进行绝缘设计时,一般均假定幅值为正态分布。操作过电压幅值可用 U_{max} 和 $U_{2\%}$ 来表示。U_{max} 指大于该电压值出现的概率仅为 0.135%,$U_{2\%}$ 指大于该过电压出现的概率为 2%。在决定带电作业间隙时,考虑到带电作业人员的安全,操作过电压按 U_{max} 来进行计算,并考虑 0.3m～0.5m 的人体活动范围。根据绝缘配合的原则,直流线路塔头组合间隙的 50% 操作冲击放电电压,可参照上述公式计算,但其分母括号内需取 3 倍放电电压变异系数,即耐压保证率为 99.86%。对于海拔高度在 1000m 及以下的地区,500kV 直流线路由上述公式计算得到 50% 操作冲击放电电压为 1121kV,660kV 线路为 1470kV。

中国电力科学研究院在 1985 年进行的 500kV 直流输电线路导线-杆塔空气间隙放电特性试验结果可知,在 3m～5m 的间隙距离范围内,直流叠加操作冲击放电电压约高于单独加操作冲击的 3%～4%。50% 操作冲击放电电压 1121kV 对应的操作冲击间隙距离为 2.85m,而直流叠加操作冲击间隙距离大约为 2.62m,即按操作冲击选取的间隙距离比较偏于保守。

葛南直流线路带电作业间隙根据国外咨询公司推荐为 3.8m,其中考虑了 0.9m 的裕度。国内带电作业间隙考虑的裕度为 0.3m～0.5m,因此,直流线路带电作业校验间隙可取为 3.8－0.9＝2.9m,与电科院的试验推荐值相吻合,再考虑 0.3m～0.5m 的人体活动范围,带电作业间隙距离总长度为 3.4m。

根据中国电力科学研究院位于北京和西宁的试验站开展的操作冲击电压 V 型绝缘子串模拟塔头间隙操作冲击放电试验结果得出。660kV 对应的带点作业空气间隙距离为 4.6m。直流输电线路带电作业所需空气间隙距离应由操作过电压确定。

现行国家标准《带电作业工具基本技术要求与设计导则》GB/T 18037 中规定可以接受的危险率水平为 $1.0×10^{-5}$。检修人员停留在线路上进行带电作业时,系统不可能发生合闸空载线路操作,并应退出重合闸。而单极接地分闸过电压是确定带电作业安全距离时必须考虑的过电压。

以往超高压输电线路设计时,对需要带电作业的杆塔,应考虑带电作业所需的安全空气间隙距离。由于带电作业的方式是灵活多样的,根据多年的设计及运行经验,在一般情况下不会也不宜因考虑带电作业而增大塔头尺寸。不过,在设计中应尽可能从塔头结构及构件布置上为带电作业创造方便条件。

7.0.11 本条规定了直流输电线路带电作业条件下带电部分对杆塔接地部分的校验条件和校验间隙。

操作过电压幅值具有正态分布、韦尔斯分布或极值分布的特点,在进行绝缘设计时,一般均假定幅值为正态分布。操作过电压幅值可用 U_{max} 和 $U_{2\%}$ 来表示。U_{max} 指大于该过电压值出现的概率仅为 0.135%,$U_{2\%}$ 指大于该过电压值出现的概率为 2%。在决定带电作业间隙时,考虑到带电作业人员的安全,操作过电压按 U_{max} 来进行计算,并考虑 0.3m～0.5m 的人体活动范围。根据绝缘配合的原则,直流线路塔头组合间隙的 50% 操作冲击放电电压,可参照上述公式计算,但其分母括号内需取 3 倍放电电压变异系数,即耐压保证率为 99.86%。对于海拔高度在 1000m 及以下的地区,500kV 直流线路由上述公式计算得到 50% 操作冲击放电电压为 1121kV,660kV 线路为 1470kV。

中国电力科学研究院在 1985 年进行的 500kV 直流输电线路导线-杆塔空气间隙放电特性试验结果可知,在 3m～5m 的间隙距离范围内,直流叠加操作冲击放电电压约高于单独加操作冲击的 3%～4%。50% 操作冲击放电电压 1121kV 对应的操作冲击间隙距离为 2.85m,而直流叠加操作冲击间隙距离大约为 2.62m,即按操作冲击选取的间隙距离比较偏于保守。

葛南直流线路带电作业间隙根据国外咨询公司推荐为3.8m,其中考虑了0.9m的裕度。国内带电作业间隙考虑的裕度为0.3m~0.5m,因此,直流线路带电作业校验间隙可取为3.8－0.9＝2.9m,与电科院的试验推荐值相吻合,再考虑0.3m~0.5m的人体活动范围,带电作业间隙距离总长度为3.4m。

根据中国电力科学研究院位于北京和西宁的试验站开展的操作冲击电压V型绝缘子串模拟塔头间隙操作冲击放电试验结果得出。660kV对应的带点作业空气间隙距离为4.6m。直流输电线路带电作业所需空气间隙距离应由操作过电压确定。

现行国家标准《带电作业工具基本技术要求与设计导则》GB/T 18037中规定可以接受的危险率水平为$1.0×10^{-5}$。检修人员停留在线路上进行带电作业时,系统不可发生合闸空载线路操作,并应退出重合闸。而单极接地分闸过电压是确定带电作业安全距离时必须考虑的过电压。

以往超高压输电线路设计时,对需要带电作业的杆塔,应考虑带电作业所需的安全空气间隙距离。由于带电作业的方式是灵活多样的,根据多年的设计及运行经验,在一般情况下不会也不宜因考虑带电作业而增大塔头尺寸。不过,在设计中应尽可能从塔头结构及构件布置上为带电作业创造方便条件。

7.0.12 本条修改引用现行国家标准《110kV~750kV架空输电线路设计规范》GB 50545的有关条文。

7.0.13 随着线路额定电压的提高,线路绝缘水平不断提高,雷电反击跳闸的概率愈来愈小,我国雷电定向定位仪记录的数据表明,我国500kV线路雷击跳闸的主要原因是绕击跳闸。

苏联特高压线路的运行经验也表明,雷击跳闸是1000kV线路跳闸的主要原因。在1985年至1994年十年期间,特高压线路雷击跳闸高达16次,占其总跳闸次数的84%,而雷击跳闸的原因是雷绕击导线。经分析,苏联特高压线路的地线保护角过大(大于

20°)是造成雷电绕击率过高的主要原因。日本特高压线路和其500kV线路一样,均采用负的地线保护角,雷电绕击率较低。

《高压直流架空送电线路技术导则》DL/T 436—2005 中规定雷击杆顶时直流线路耐雷水平应达到 125kA～175kA。最近几年以来,500kV 线路杆塔地线对导线的保护角一般都不大于 10°,运行情况较好。

科研单位根据宁东—山东±660kV 直流输电线路工程塔型和间隙尺寸,单回直线塔接近 -10 度,单回耐张塔为 -7.36 度,采用电气几何模型法(EGM),并考虑了山地侧击雷的概率,对线路绕击耐雷性能进行计算,结果见表 34。

表34 直流线路绕击耐雷性能

地 形	绕击闪络率（次/百 km·年）	
	直线塔	转角耐张塔
平地	0	0
丘陵	0	0
一般山地	0.078	0.288
高山大岭	0.249	0.587

反击采用行波法编程计算。计算了线路反击耐雷水平,结果见表35。杆塔工频接地电阻取 15Ω,冲击系数取 0.8,雷电日取40,击杆率平原和丘陵取 1/6,山地取 1/4。

表35 直流线路反击闪络率

单 回 杆 塔			
类 目		直线塔单极闪络	转角耐张塔单极闪络
耐雷水平(kA)		173	192
直流保护动作率 (次/百 km·年)	平原和丘陵	0.113	0.069
	山地	0.170	0.103

单回线路杆塔单极反击耐雷水平为 173kA～192kA,双极同时反击闪络的雷电流在 400kA 以上,双极同时反击闪络的可能性极小。

考虑到±660kV全线的地形比例和塔型比例后,得到全线路的加权平均雷击闪络率约为0.14次/100km·a,同我国交流500kV超高压输电线路雷击跳闸率的运行值基本相同。

7.0.14 本条修改引用现行国家标准《110kV～750kV架空输电线路设计规范》GB 50545的相关条文。

7.0.15 本条修改引用现行国家标准《110kV～750kV架空输电线路设计规范》GB 50545的相关条文。

8 导线布置

8.0.1 导线水平排列方式可降低杆塔高度,垂直排列方式可减小线路走廊宽度。在线路走廊特别拥挤地区,直流线路的两极可根据走廊情况,经技术经济比较后采用垂直排列方式。

国内外已建直流线路都为单回、两极,故适宜水平布置。如房屋密集、线路走廊特别紧张,也可将两极导线垂直布置在铁塔的一侧,此种布置可大大减少房屋拆迁。三峡—上海(三沪)直流在江、浙、沪局部地段使用了导线垂直布置形式。

8.0.2 本条基本沿用现行行业标准《110~500kV架空送电线路设计技术规程》DL/T 5092—1999 第 10.0.1 条,增加了按不同串型,列表规定水平线间距离公式中的悬垂绝缘子串系数。

对于直流线路,导线—导线直流对称电极间隙的放电特性可视为与交流相同,直流线路电压可看作等效于交流线路电压峰值,如±500kV直流电压有效值为 $1000/\sqrt{2}=707.1$ kV,即和交流不同,水平线间距离计算公式中增加直流系数 $K_u=\sqrt{2}$。据此按公式求得相应于各档的最小线距。

如导线为垂直排列,极间距离可取水平极间距离计算结果的 75%。

另外,目前工程中确定线间距离时,需考虑电磁环境因素的影响,如对于±660kV直流线路的 4×1000 导线,导线极距不得小于 18m。

8.0.3 本条参考现行国家标准《110kV~750kV架空输电线路设计规范》GB 50545—2010 第 8.0.3 条制定。

8.0.4 导地线的水平偏移主要取决于导线和地线覆冰不均匀以及覆冰脱落时的跳跃或舞动情况下导地线间的工作间隙,直流线路应该按以上三种情况求得塔头上最小垂直距离和水平偏移的最佳组合。按导地线覆冰不均匀以及覆冰脱落时的跳跃或舞动情况下分别进行校验,得出结论。

根据实际工程经验,校验计算档距组合取为 Y－Y－Y－X－Y－Y－Y 连续上山,脱冰档 X 档距为 550m、高差为 33％,其余档 Y 档距为 400m、高差为 15％,导线悬垂串 10m、地线悬垂串 1m,计算结果见下。

(1)不均匀覆冰静态接近情况下要求的档中电气距离对塔头不起控制作用;

(2)从脱冰跳跃动态接近情况下档中电气距离对所要求的最小垂直距离和水平偏移可以看出,增大水平偏移对地线支架高度影响不大,因此水平偏移取大于 1m(10mm 冰区),具体由保护角控制水平偏移;

(3)导线舞动的情况下要求的档中电气距离对塔头的最小垂直距离和水平偏移不起控制作用;

(4)校验导线间或导线与地线间在不均匀脱冰情况下危险接近时,一般取验算档的上层导线或地线的冰重为 100％设计冰重,下层导线脱冰重量可取 50％～100％设计冰重。(覆冰厚度 5mm～10mm 时脱冰重量宜取 100％,对中冰区脱冰重量宜不小于 70％,对重冰区脱冰重量宜不小于 80％)。

跳跃接近应满足工作电压要求的最小空气间隙;静态接近应满足操作过电压要求的最小空气间隙。地线弧垂最低点不应低于导线弧垂最低点,上层导线弧垂最低点不应低于下层导线弧垂最低点。

±500kV 线路的最小水平偏移基本沿用《高压直流架空送电线路技术导则》DL/T 436—2005 中取值,即"设计覆冰厚度在 10mm 和 15mm 的地区,地线与导线的水平偏移距离分别不宜小于 1.75m 和 2.5m;设计覆冰在 5mm 的地区,水平偏移可适当减少;重冰区宜不小于 3m。"对于不同冰厚各冰区线路水平偏移的要求,原则上参考重冰标准执行。

±500kV、±660kV线路的最小水平偏移取值相同。±660kV线路的最小水平偏移结合宁东直流线路工程设计经验,轻、中冰区均可沿用±500kV线路的最小水平偏移取值;±660kV线路重冰区目前尚无设计经验,但考虑±660kV间隙要求、串长比±500kV均有所增加,水平位移要求相差不大,建议±660kV最小水平位移仍采用±500kV取值,并进行不均匀脱冰危险接近时的校验。

9 杆塔型式

9.0.1 给定杆塔类型的基本概念,使得杆塔类型的定义规范化和具体化。同时,便于区分悬垂型和耐张型两类杆塔的荷载组合。对于跨越杆塔以及其他特殊杆塔,可以按绝缘子与杆塔的连接方式分别归入悬垂型或耐张型。

9.0.2 水平排列方式可降低杆塔高度,垂直排列方式可减小线路走廊宽度,直流线路的两极可根据走廊情况,经技术经济比较后采用垂直排列方式。

9.0.3 能够满足使用要求(如电气参数等)的杆塔外形或型式可能有多种,要根据线路的具体特点来选择适合的杆塔外形。同一条线路,往往由于沿线所经地区环境、条件等不同,对塔型的要求也不同。设计时应在充分优化的基础上选择最佳塔型方案。

9.0.4 本条规定了杆塔的使用原则。

1 在杆塔选型时不仅要对塔体本身进行技术经济比较,而且要考虑到导线排列型式和塔体尺寸(如铁塔根开)对不同地质条件的基础造价的影响,进行综合技术经济比较。通常导线水平排列比三角排列铁塔的基础作用力要小些;塔体尺寸大(铁塔根开大),基础作用力也要小些,基础材料耗量也相应比较小一些。但是对地质条件较好的山区,减小基础作用力,效果就不显著,塔体尺寸大(根开大),可能还会引起土方开挖量增加。

2 在同等设计条件下,拉线铁塔与自立铁塔相比,拉线塔用钢量可省30%左右,但占地范围较大。钢筋混凝土杆与铁塔相比,钢筋混凝土杆本体造价较小,运行维护方便,但部件运输重量较大。因此,要根据工程的实际地形、运输和施工条件经过技术经济比较,因地制宜选用拉线塔和钢筋混凝土杆。

3 对山区铁塔应采用长短腿配合高低基础的结构型式,尽量适应塔位地形的要求,以减小基面开挖量和水土流失,将线路对沿线环境的影响降至最低程度。

4 走廊清理费是指线路走廊的房屋拆迁和青苗赔偿等费用。工程实践证明,当走廊清理费较大时,通过对铁塔、基础和走廊清理费用进行综合经济比较,结果为采用垂直排列铁塔的工程造价较低。当采用Ⅴ型、Y型和L型绝缘子串时,线路走廊会更窄,走廊清理费用也会更小。

当同一走廊内线路回路数较多时,采用同塔双回或多回路杆塔型式也是减小线路走廊的一种有效途径。

钢管杆占地小,外型比较美观,但是造价比较高。因此,钢管杆较适用于城市、城郊有美观要求的输电线路。

5 悬垂型杆塔可带3度转角设计,是根据国内的设计和运行经验提出的。由于悬垂型杆塔带转角只是少数情况,实际定位时,有些塔位的设计档距往往不会用足,因此,设计时采用将角度荷载折算成档距,在设计使用档距中扣除,杆塔仍以设计档距荷载计算,这样做一般比较经济合理。如果带转角较大,用缩小档距的办法,使悬垂型杆塔带转角就比较困难,同时悬垂串的偏角较大,塔头相应要放大,而且运行方面更换绝缘子也不方便。当带转角后要导致放大塔头尺寸时,宜做技术经济比较后确定。

悬垂转角杆塔的允许角度也是根据国内的运行经验提出的。悬垂转角杆塔的角度较大时,通常需要在导线横担向下设置小支架来调整导线挂点位置以满足电气间隙要求。

6 随着电力线路安全等级的提高,目前在110kV线路杆塔上不再采用转动横担,因此,本标准不再涉及转动横担的设计。

10 杆塔荷载

10.0.1 荷载分类：

分类原则是根据现行国家标准《建筑结构可靠度设计统一标准》GB 50068 的有关规定,结合输电结构的特点,为简化荷载分类,不列偶然荷载,将属这类性质的断线张力及安装荷载等也列入了可变荷载,将基础重力列入永久荷载,同时为与习惯称谓一致不采用该标准中所用的术语"作用",而仍用"荷载"来表述。

10.0.2 荷载作用方向：

（1）一般情况,杆塔的横担轴线是垂直于线路方向中心线或线路转角的平分线。因此,横向荷载是沿横担轴线方向的荷载,纵向荷载是垂直于横担轴线方向的荷载,垂直荷载是垂直于地面方向的荷载。

（2）悬垂型杆塔基本风速工况,除了 0°风向和 90°风向的荷载工况外,45°风向和 60°风向对杆塔控制杆件产生的效应很接近。因此,通常计算 0°、45°及 90°三种风向的荷载工况。但是,对塔身为矩形截面或者特别高的杆塔等结构,有时候可能由 60°风向控制。耐张型杆塔的基本风速工况,一般情况由 90°风向控制,但由于风速、塔高、塔型的影响,45°风向有时也会控制塔身主材。对于耐张分支塔等特殊杆塔结构,还应根据实际情况判断其他风向控制构件的可能性。

（3）考虑到终端杆塔荷载的特点是不论转角范围大小,其前后档的张力一般相差较大。因此,规定终端杆塔还需计算基本风速的 0°风向,其他风向（90°或 45°）可根据实际塔位转角情况而定。

10.0.3 正常运行情况、断线（含导线的纵向不平衡张力）情况和安装情况的荷载组合是各类杆塔的基本荷载组合,不论线路工程处于何种气象区都必须计算。当线路工程所处气象区有覆冰条件时,还应计算不均匀覆冰的情况。

10.0.4 基本风速、无冰、未断线的正常运行情况应分别考虑最大垂直荷载和最小垂直荷载两种组合。因为,工程实践计算分析表明,铁塔的某些构件(例如部分V型串的横担构件或部分塔身侧面斜材)可能由最小垂直荷载组合控制。

10.0.5、10.0.6 断线(含导线的纵向不平衡张力)情况,当实际工程气象条件无冰时,应按－5℃、无冰、无风计算。断线工况均考虑同一档内断线(或导线有纵向不平衡张力)。

(1) 对于单回路悬垂杆塔,应分别考虑一极导线有纵向不平衡张力情况或断一根地线的情况;

(2) 对于单回路耐张型杆塔,应考虑断一根地线和一极导线有纵向不平衡张力的情况;

(3) 对于双回路杆塔,在同一档内,应分别考虑任意两极导线有纵向不平衡张力情况或同一档内断一根地线和一极导线有纵向不平衡张力的情况;

(4) 对于终端杆塔,由于换流站侧导线的纵向不平衡张力很小,线路侧导线的纵向不平衡张力相对很大,在正常运行工况中已经考虑了线路侧未架的情况,因此对直流线路终端塔只需考虑线路侧地线断线或导线有纵向不平衡张力情况即可。

10.0.7 为了提高地线支架的承载能力,对悬垂塔和耐张塔,地线断线张力取值均为100%最大使用张力。

10.0.8 从历次冰灾事故情况来看,地线的覆冰厚度一般较导线要厚,故对于不均匀覆冰情况,地线的不平衡张力取值(占最大使用张力的百分数)较导线要大。无冰区和5mm冰区可不考虑不均匀覆冰情况引起的不平衡张力。

表10.0.8-1中不均匀覆冰的导线、地线不平衡张力取值适用于档距550m、高差不超过15%的使用条件,超过该条件时应按实际情况进行计算。

10.0.9 不均匀覆冰荷载组合,轻冰区应考虑纵向弯矩组合情况,以提高杆塔的纵向抗弯能力。重覆冰区还应考虑杆塔承受最大扭矩情况,以提高杆塔的抗扭转能力。

10.0.10 本标准规定的断线张力(或纵向不平衡张力)和不均匀覆冰情况下的不平衡张力值已考虑了动力影响,因此,应按静态荷载计算。

10.0.11 2008年的严重冰灾在湖南、江西和浙江等省份均有发生串倒的现象,由于倒塔断线引起相邻档的铁塔被拉到的现象不少。为了有效控制冰灾事故的进一步扩大,对于较长的耐张段之间适当布置防串倒的加强型悬垂型杆塔,是非常有效的一种方法,国外的标准中也有类似的规定。加强型悬垂型杆塔除按常规悬垂型杆塔工况计算外,还应按所有导地线同侧有断线张力(或纵向不平衡张力)计算,以提高该塔的纵向承载能力。

10.0.12 本条是根据以往实际工程设计经验确定的。验算覆冰荷载情况是作为正常设计情况之外的补充计算条件提出来的。主要在于弥补设计条件的不足,用以校验和提高线路在稀有的验算覆冰情况下的抗冰能力,其荷载特点是在过载冰的运行情况下,同时存在较大的不平衡张力。这项不平衡张力是由于现场档距不等,在冰凌过载条件下产生的,导地线具有同期同方向的特性,故只考虑正常运行和所有导线、地线同时同向有不平衡张力,使杆塔承受最大弯矩情况。

鉴于验算覆冰荷载出现概率很小,故不再考虑断线和最大扭矩的组合情况。

10.0.13 仍沿用重冰技术规定:垂直档距系数小于0.8的悬垂型杆塔应进行导线、地线脱冰跳跃和不均匀覆冰时产生的上拔力校验导线横担和地线支架,导线上拔力取最大使用张力的5%～10%,大截面导线可取偏小数值,中、小截面导线取偏大数值。地线取最大使用应力的5%。

10.0.14 各类杆塔的安装荷载如下:

（1）悬垂型杆塔提升导、地线及其附件时发生的荷载。如果考虑避免安装荷载（包括检修荷载）控制杆件选材，起吊导线、地线时采用转向滑轮（图3）等措施，将起吊荷载控制在导线、地线重量的1.5倍以内是可行的。以往线路已有工程经验，但是，应在设计文件中加以说明。

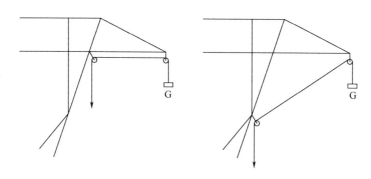

图3　起吊导线、地线时采用转向滑轮示意图

（2）悬垂型杆塔，导线或地线锚线作业时，挂线点处的线条重力由于前后塔位高差对其影响较大，一般应取垂直档距较大一侧的线条重力。即：按塔位实际情况，一般应取大于50%垂直档距的线条重力。

（3）双回路杆塔如无特殊要求，一般不考虑单边导线、地线先架设的情况；双回路及以上的杆塔，导线分期架设往往会在施工时使杆塔受到较大的扭矩。为了尽可能减小施工荷载的影响，一般只有当实际工程需要分期架设时，才考虑分期架设的荷载组合。

（4）导线、地线的过牵引、施工误差和初伸长引起的张力增大系数应由电气专业根据导线、地线的特性确定。

（5）水平和接近水平的杆件，单独校验承受1000N人重荷载，而不与其他荷载组合，是参照国外的设计经验和国内部分设计单位的实践经验。一般可将与水平面夹角不大于30度的杆件视为接近水平的杆件。如果某些杆件不考虑上人，应在设计文件中说明。校验时,可将 1000N 作为集中荷载,杆件视为简支梁,其跨距取杆件的水平投影长度,杆件应力应不大于材料的强度设计值。

10.0.15 本条是根据以往实际工程设计经验确定的。

10.0.16 阵风在高度方向的差异对曲线型铁塔斜材产生的不利影响,也称埃菲尔效应。

10.0.18 圆管构件在以往的工程中曾出现过激振现象,有的振动已引起杆件的破坏。虽然目前要精确地计算振动力尚有困难,有些参数不容易得到,一般可参照现行国家标准《高耸结构设计规范》GB 50135 的有关规定。

10.0.19 导地线风荷载计算公式中风压调整系数 β_c,是考虑特高压线路因绝缘子串较长、子导线多,有发生动力放大作用的可能,且随风速增大而增大。此外,近年来 500kV 线路事故频率较高,适当提高导地线荷载对降低线路的倒塔事故率也有一定帮助。但对于电线本身的张力弧垂计算、风偏角计算和其他电压等级线路的荷载计算都不必考虑 β_c,即取 $\beta_c=1.0$。

通过对各国风偏间隙校验用风压不均匀系数的分析,参照其中反映风压不均匀系数随档距变化规律的德国和日本系数曲线,结合我国运行经验,提出了风压不均匀系数的取值要求,即校验杆塔电气间隙时,档距不大于 200m 取 0.8,档距不小于 550m 时取 0.61,档距在 200m～550m 之间风压不均匀系数 α 按下式计算:

$$\alpha = 0.50 + \frac{60}{L_h} \tag{17}$$

式中:L_h——杆塔的水平档距(m)。

10.0.20～10.0.22 根据现行国家标准《高耸结构设计规范》GB 50135 关于塔架结构体型系数取值的规定,由钢管构件组成的塔架整体计算时的 μ_s,按角钢塔架的 μ_s 乘以 0.6～0.8 采用。为计算方便,在以往 500kV 线路和大跨越钢管塔设计中采用的体型系数为 $0.82(1+\eta)$。

杆塔本身风压调整系数 β_z,主要是考虑脉动风振的影响。为便于设计,对一般高度的杆塔在全高度内采用单一系数。总高度超过60m的杆塔,特别是较高的大跨越杆塔,其β_z宜采用由下而上逐段增大的数值,可以参照现行国家标准《建筑结构荷载规范》GB 50009的有关规定确定;对宽度较大或迎风面积增加较大的计算段(如横担、微波天线等)应给予适当加大。±660kV单回路杆塔可参考表36取值,参照了±660kV宁东至山东直流输电线路工程取值,并做了局部调整。

表36　±660kV单回路杆塔风荷载调整系数β_z

横担及地线支架高(m)	≤60						>60			
β_z	2.2						2.5			
身部分段高(m)	10	20	30	40	50	60	70	80	90	100
β_z	1.30	1.35	1.40	1.45	1.50	1.55	1.60	1.65	1.70	1.80

当考虑杆件相互遮挡影响时,可按现行国家标准《建筑结构荷载规范》GB 50009的规定计算受风面积A_s。

对基础的β_z值是参考化工塔架的设计经验,取对杆塔效应的50%,即$\beta_{基}=(\beta_{杆塔}-1)/2+1$,考虑到使用上方便,取对60m以下杆塔为1.0;对60m及以上杆塔为1.3。

10.0.23 计算公式是根据我国电力部门设计经验确定的。

以上导地线风荷载计算公式、杆塔风荷载计算公式和绝缘子串风荷载计算公式中均有系数B,B为覆冰工况时,风荷载的增大系数,仅仅用于计算覆冰风荷载之用,计算其他工况的风荷载时,不考虑系数B。

10.0.24 本条参考现行国家标准《建筑结构荷载规范》GB 50009—2001第7.2.1条文。

表10.0.24中风压高度变化系数μ_z,按下列公式计算得出:

$$\mu_z^A = 1.379 \left(\frac{Z}{10}\right)^{0.24} \tag{18}$$

$$\mu_z^B = 1.000 \left(\frac{Z}{10}\right)^{0.32} \tag{19}$$

$$\mu_z^C = 0.616\left(\frac{Z}{10}\right)^{0.44} \tag{20}$$

$$\mu_z^D = 0.318\left(\frac{Z}{10}\right)^{0.60} \tag{21}$$

式中:Z——对地高度(m)。

11 杆塔材料及结构

11.1 杆塔材料

11.1.1 近年来,经过调研及铁塔试验等工作,Q420 高强度角钢在国内第一条 750kV 线路工程中得到了成功应用,在新建 500kV 输电线路工程上也有许多应用实例。我国首条 1000kV 晋东南－南阳－荆门特高压示范线路工程中也用到了 Q420 高强度角钢和钢板。华东院设计的 500kV 吴淞口大跨越工程中应用了 Q390 的高强度钢板压制的钢管结构,并在 500kV 江阴大跨越工程中应用了 ASTM Gr65(屈服应力 450MPa)大规格角钢和厚钢板。因此,本规范将一般采用钢材等级提高到 Q420,此外,国家标准《低合金高强度结构钢》GB/T 1591 已列入 Q460 高强度钢,有条件也可采用 Q460。

11.1.2 本条遵照现行国家标准《110kV～750kV 架空输线路设计规范》GB 50545—2010 第 10.2.2 条确定,参考国家现行标准《钢结构设计规范》GB 50017—2003、《高层民用建筑钢结构技术规程》JGJ 99—98 规定所有杆塔结构的钢材均应满足不低于 B 级钢的质量要求。

11.1.3 本条遵照现行国家标准《110kV～750kV 架空输线路设计规范》GB 50545—2010 第 10.2.2 条确定。当采用 40mm 及以上厚度的钢板焊接时,应采取采用 Z 向性能钢板或控制焊接应力、钢材的断面收缩率、材料杂质含量、焊接工艺等防止钢材层状撕裂的措施。Z 向性能钢板其材质应符合现行国家标准《厚度方向性能钢板》GB/T 5313 的规定。

11.1.4 8.8 级螺栓近年来在杆塔上已应用较多,尤其是在大跨越塔结构和钢管塔的法兰上有一定的应用经验。但是 10.9 级螺栓在输电塔上应用还不多,螺栓的强度越高,硬度越高、脆性越大,尤其是氢脆的可能性就越大,在满足强度要求的前提下,应特别注意螺栓的塑性性能必须符合 GB/T 3098 的规定。

11.1.5 各性能等级螺栓的材料必须满足最小抗拉应力 f_u、最小屈服应力 f_y 及一定的硬度值 HR。例如现行国家标准《紧固件机械性能 螺栓、螺钉和螺柱》GB/T 3098.1 中的 4.8 级螺栓:$f_u = 400\text{N/mm}^2$、$f_y = 320\text{N/mm}^2$ 和 $HR = 70/95$;5.8 级螺栓:$f_u = 500\text{N/mm}^2$、$f_y = 400\text{N/mm}^2$ 和 $HR = 83/95$;6.8 级螺栓:$f_u = 600\text{N/mm}^2$、$f_y = 480\text{N/mm}^2$ 和 $HR = 89/99$ 等。它们的保证应力分别是 310N/mm^2、380N/mm^2 和 440N/mm^2。按照现行国家标准《紧固件机械性能 螺栓、螺钉和螺柱》GB/T 3098.1 的规定,螺栓的直径暂按照不大于 39mm 考虑,直径大于 39mm 的螺栓可参照采用。

本标准的杆塔构件连接螺栓的强度设计值是以上述标准为基础,并参照国内外的使用经验和试验结果提出的。

钢材设计值参考现行国家标准《钢结构设计规范》GB 50017—2003。

11.2 杆塔结构

11.2.1～11.2.3 这 3 条根据现行国家标准《建筑结构可靠度设计统一标准》GB 50068 确定。

11.2.4 承载力极限状态设计表达式是根据现行国家标准《建筑结构可靠度设计统一标准》规定的有关原则确定的。其中的荷载效应分项系数 γ_G、γ_{Gi} 和抗力分基系数 γ_R 以及组合值系数 ψ 等的取值不仅与原电力标准规定的安全度有关,而且与可靠指标 β 有关。在荷载标准已经确定的情况下,条文中所规定的各种系数值是不能随意改变的。

荷载标准值是指在杆塔结构的使用期间,在通常情况下可能出现的最大荷载平均值。由于荷载本身具有随机性,因而使用期间的最大荷载也是随机变量,原则上应用其统计分布来描述。但是,鉴于目前的实际情况,除了风荷载有较详细的统计资料外,其他的荷载只能根据工程实践经验,通过分析判断后,规定一个公称值作为其标准值。荷载设计值是用其标准值乘以相应的荷载分项系数之后的数值。

构件抗力分项系数 γ_R 一般是包含在构件的材料强度设计值(或者抗力设计值)之中,即材料强度设计值是由其标准值除以抗力分项系数 γ_R 后得出的。材料强度设计值 f 和标准值 f_k 一般都能在有关的国家标准中找到。当材料的 f_k 和 f 值确定之后,抗力分项系数 γ_R 也就可以通过计算确定。例如 Q235 钢,$\gamma_R=1.087$;其他钢,$\gamma_R=1.111$。一般混凝土的 γ_R 平均值为 1.354……

在标准编制中,根据原电力规程的安全系数和容许应力与材料的强度标准值和设计值之间的上述关系,采用"校准法"来进行换算和比较结果表明,本标准中所采用的各项系数是能够满足原电力规程的安全水平的(在对悬垂型杆塔的比较时,其中的 γ_R 和 γ_{Gi} 所占比例是采用加权平均的计算方法,对于耐张型杆塔,则略去 γ_R 的影响)。

11.2.5 与正常使用极限状态有关的荷载效应是根据荷载标准值确定的。

11.2.6 本条是根据现行国家标准《构筑物抗震设计规范》GB 50191 和《电力设施抗震设计规范》GB 50260 的有关规定和线路杆塔结构的特点制定的。S_{GE} 为永久荷载代表值,按照现行国家标准《建筑抗震设计规范》GB 50011 确定。

11.2.7 杆塔挠度由荷载、施工和长期运行等原因产生,而从设计上只能控制由荷载引起的挠度值。计算挠度限值的确定原则是使常用的杆塔结构尺寸在荷载的长期效应组合作用下一般能满足要求。

11.2.8 本条是按我国杆塔设计经验并参照美国标准 ASCE 10—97 确定的。实际工程中塔身斜材长细比的较大时,由于刚度较弱会引起自重下垂变形,故参照美国输电铁塔设计导则将一般受压材的最大允许长细比定为200。

11.2.9 大量工程实践证明热浸镀锌工艺是铁塔构件防腐的有效措施。当选用其他防腐措施时,必须有足够资料证明其防腐性能不低于热浸镀锌工艺,方可采用。

11.2.10 铁塔的连接螺栓,螺纹进入剪切面,不仅降低螺栓的承载力,而且大量螺栓进入剪切面还影响铁塔的变形。因此,设计时应使螺纹不进入剪切面。

11.2.11 运行部门如无特殊要求,一般可在地面以上8m高度范围内的塔腿的连接螺栓采取防御措施。

12 基 础

12.0.1 随着我国输电线路设计和施工水平的不断提高,线路基础选用经验日益丰富,选用的基础型式也逐渐增多。但总体来看,原状土基础、现浇钢筋混凝土基础和混凝土基础仍然是主要的基础型式。

1 原状土基础包括岩石基础、机扩桩基础、掏挖(半掏挖)基础、爆扩桩基础和钻孔桩基础等,能充分地发挥原状土的承载性能,承载力大、变形小、用料省。其中以钻孔桩基础造价较高,约为板式基础的 1.5 倍～1.8 倍,因此,其只适用于要求承载力特别大,地基又较差的塔位,或者当其他基础型式在技术上不能满足要求时采用。近年来,斜掏挖基础和带翼板的掏挖基础也在工程中有所应用,其应用前景值得关注。原状土基础对环境的破坏较小,符合绿色工程的理念。

现浇钢筋混凝土基础通常由配筋的底板及立柱组成,由于混凝土量小、造价较低,在一般地质条件下,对受力较大的铁塔基础常选用这种型式。混凝土基础的一般形式为台阶式基础,每个台阶应满足刚性角等要求,不需要配筋,施工比较简单,是一般地质条件下受力较小,或考虑地下水位影响的铁塔基础所选用的型式。由于现浇钢筋混凝土基础或混凝土基础具有较好的适用性,方便施工,因而使用范围较广。

2 为适应山区地形,山区线路工程普遍采用全方位长短腿铁塔。基础设计时须在基础型式和基面设计方面多做优化工作,尽量采用合理的基础型式,尽可能少开挖或不开挖基面,保护环境、减少植被破坏和水土流失。

12.0.2 按照原输电线路设计方法和经验,对基础稳定、基础承载力采用荷载的设计值进行计算,对地基的不均匀沉降、基础位移等采用荷载的标准值进行计算。

12.0.3 基础的附加系数是按照原输电线路设计方法和经验对各类基础的安全度换算而来的,基本上保持了原电力规程的安全度标准。表达式中的基础上拔或倾覆外力设计值 T,对可变荷载计入了荷载分项系数 1.4,对永久荷载计入了荷载分项系数 1.2 或者 1.0,也即 T 大致较原电力规程大 1.4 倍左右。对于悬垂型杆塔,原电力规程要求上拔和倾覆稳定的安全系数为 1.5,两者关系为 1.5/1.4＝1.071,故本标准取附加数为 1.1。其他类推。附录 E 数据基本上与原标准相一致,土壤分类与现行国家标准《建筑地基基础设计规范》GB 50007 相一致。

12.0.5 线路施工点分散,施工条件较差,对现浇基础,不论配筋与否其混凝土强度等级均规定不应低于 C20 级。

12.0.6 线路沿线岩石地基的岩性和完整程度通常存在较大差异。由于在线路勘测期间工程地质人员野外对岩石地基的鉴别存在局限性,所以,对配置岩石基础的杆塔位,在基坑开挖后必须进行鉴定。本条强调了必须对岩石逐基鉴定,保证设计的岩石基础安全、可靠,这也是对选择合适基础型式、正确取定计算参数的验证。

12.0.7 在季节性冻土地区,其标准冻结深度可由地质资料提出,也可按现行国家标准《建筑地基基础设计规范》GB 50007 的规定确定。多年冻土地区所涉及的区域较少,这里不作详细规定。

12.0.9 洪水冲刷、流水动压力等计算时洪水重现期可按 50 年一遇考虑。当有特殊要求时,应遵循相关标准确定。

12.0.10 本条根据以往工程实践经验提出。防治措施可参照现行国家标准《构筑物抗震设计规范》GB 50191 和《电力设施抗震设计规范》GB 50260 的相关规定。

12.0.11 转角塔、终端塔的预偏要根据杆塔结构的变形和基础设计时地基出现的变形综合考虑确定或根据工程设计、施工、运行经验确定。

　　杆塔的变形和杆塔结构型式、转角度数、地基情况、导线型号以及张力大小等有关,而加工因素和施工过程也会对杆塔的变形产生影响。

13 对地距离及交叉跨越

13.0.1 导线最大弧垂计算。导线与地面、建筑物、树木、铁路、道路、河流、管道、索道及各种架空线路的垂直距离,以往设计标准是按最高气温或覆冰情况求得的最大弧垂来计算。在制订过程中,有些单位提出是否可按导线允许温度来计算弧垂,理由是:第一,目前电力系统负荷较重,导线有过热现象,应予考虑;第二,国际上许多国家也是按导线允许温度设计的。对上述意见,经过研究认为,最大弧垂的计算条件和间隔距离要求是相对应的,其决定了杆塔的高度。多年来,按以往规程设计的线路,在对地距离和交叉跨越方面,运行情况是好的。如果现在改为按导线允许温度来设计,势必抬高了标准,增加了基建投资。

（1）一般情况下,导线截面是按经济电流密度选择的,常年运行时导线温度不高,只在系统事故线路短期过载运行时导线温度才能达最大运行温度。因此,导线与地面、建筑物、树木、铁路、道路、河流、管道、索道及各种架空线路的垂直距离按运行情况下最高气温或覆冰情况求得的最大弧垂来计算,而不是按导线允许温度来计算弧垂是合适的。

（2）提高导线允许温度到80℃时,按经济电流密度选择导线的线路,应按50℃弧垂校验限距。

计算表明导线40℃～50℃弧垂差＞70℃～80℃弧垂差,为简化按经济电流密度设计线路的工作,可在导线允许温度从70℃提高到80℃时,将定位弧垂的温度相应从40℃提高到50℃。这样的调整,对一般的平地档距,可以期望获得与现行标准相似的良好配合和运行效果。

据IEEE 1980年No.2的论文介绍,美国BPA公司也是按

50℃导线弧垂做定位设计。

（3）重覆冰区的线路，由于严重的冰过载或不均匀覆冰和验算覆冰使导线弧垂增大，对跨越物或地面的间距减小，造成人身触电伤亡，导线烧伤、线路跳闸等事故。如贵州六水线、水盘线，云南的以东线、羊盘线、五镇线，湖南的双道线等，均发生过这类事故。为此，本条补充规定了对重覆冰区的线路，还应计算导线不均匀覆冰和验算覆冰情况下的弧垂增大。

（4）为解决架线过程中，由于设计和施工的误差而引起导线对地距离的减少，一般采用在定位过程预留"裕度"的方法来补偿。

在输电线路的设计和施工过程中，由于技术上和设备工具上的原因，往往使计算所得的导线弧垂数值与竣工后的数值之间存在着一定的差距。其产生的原因，概括起来可分为：测绘误差，定位误差和施工误差三种情况。如果再细分一下，测绘误差又包含有断面测量和制图展点两种误差。定位误差有模板刻制和图纸上排杆位两方面的问题。施工误差则是由于工艺水平关系必然存在的一种实际情况，是由于划印压接不准，耐张绝缘子串量度不准，以及温度计指示的气温数值不能代表导线的温度等原因产生的。因此，杆塔定位时必须考虑"导线弧垂误差裕度"。该值视档距大小，地形条件，断面图比例尺大小而定。一般情况下，可根据线路电压等级确定。500kV及以上线路不宜小于0.8m，大跨越尚应适当增加。

（5）大跨越的导线，其截面往往是按发热条件确定的。导线允许温度远大于本条规定的一般线路的数值，而且大跨越在线路中的地位又比较重要，因此为考虑电流过热引起弧垂增大的影响，故补充规定了在大跨越段，确定导线至地面、建筑物、树木、铁路、道路、河流、管道、索道及各种架空线路的距离，应按导线实际能够达到的最高温度计算最大弧垂。

（6）根据2008年1月我国南方地区发生冰灾事故的经验，对特殊区段线路：如大跨越线路、跨越主干铁路、高速公路等重要设施的跨越应采用独立耐张段。

(7)验算覆冰条件、导线最高温度及导线覆冰不均匀情况下对被交叉跨越物的间隙距离按操作过电压间隙校验。

(8)按照铁道部铁建设函〔2009〕327号文规定要求,跨越铁路时需验算覆冰工况。

13.0.2 本条为强制性条文,必须严格执行。输电线路放电,会对人体产生电击、危害到附近居民的人身安全,说明如下:

(1)电场和离子流密度的限值选择:

控制高压直流线路的电场和离子流密度关系到线路附近居民的人身安全问题。同时也为了减小其生物效应,即对输电线下人体和牲畜的静电感应影响,以及可能出现的稳态电击和暂态电击现象。对于高压直流线路,电压等级越高,其电场效应问题更加突出。

按照第5.0.4条规定,直流输电线路地面合成电场保持,晴天时不超过30kV/m,雨天时不超过36kV/m。最大离子流密度限值晴天不超过100nA/m^2,雨天不超过150nA/m^2。

(2)邻近民房的地面场强:

对人的影响实质上是合成场强,标称场强只是其中的一部分,因此,直流线路电场对人的影响应该以合成场强衡量,从苏联和我国直流线路的运行经验看,地面合成场强没有必要小于10kV/m,从美国和苏联的规定看,不应大于15kV/m。我国现行行业标准《高压直流架空送电线路技术导则》DL/T 436—1991中规定,邻近民房的地面标称场强限值为3kV/m,而在现行行业标准《高压直流架空送电线路技术导则》DL/T 436—2005中已改为:民房所在地面未畸变合成场强应不超过15kV/m(对应于湿导线)。

原标准是在建设葛上直流工程时确定的,当时中国电力科学研究院对直流合成电场对人的影响进行过大量的试验研究,在晴天,当地面合成电场到达11kV/m时,人在该电场下打伞,手触摸金属柄,会感受到明显但比较轻微的暂态电击;在雨天,同一地点的地面合成电场达到约 15kV/m，暂态电击更强烈，具有刺痛感。随着电场增加，暂态电击程度也增加。为了防止人在民房所在地打伞时出现较强的暂态电击，民房所在地面的合成电场应不超过 15kV/m（对应于湿导线）。由于合成电场不好计算，而以合成电场对应的标称电场作为限值，便于设计，所以对应葛上直流线路采用的导线为 $4×300mm^2$，取导线对地最小距离为 12.5m，晴天 11kV/m（或雨天 15kV/m）地面合成电场对应的标称电场约为 3kV/m。所以原导则对应当时的设计条件，取邻近民房的地面标称场强限值为 3kV/m 是合适的。

可直流输电线路的合成电场与标称电场之间的量值关系与所采用的导线有关。如果导线电压、导线分裂数、分裂间距和导线对地距离一样，子导线直径越大，导线表面电场越小，空间电荷产生的电场在合成场强中占有的比例就较小，地面的合成电场也越小。当在以后的直流工程中，导线为 $4mm^2×720mm^2$，导线对地距离为 12.5m 时，地面标称电场为 3kV/m 时，对应的合成电场只有 4.5kV/m～7kV/m，比葛上直流的合成场 11kV/m（或雨天 15kV/m）小很多。所以，对采用不同导线的直流线路，都采用同一量值的标称电场作为限值，并不能反映实际合成场的情况。对人的影响实际上是合成场强，标称场强只是合成场强的一部分，因此，直流输电线路的电场对人的影响原则应以合成电场衡量。

从苏联的规定和我国直流线路运行经验看，直流线路临近民房时，地面合成场强不需小于 10。同时我国为慎重确定直流线路临近民房所在地面的合成电场的限值，在 2005 年 7 月，中国电力科学研究院会同湖北超高压局武汉分局，组织了老中青男女人员，在直流输电线路下进行了感受试验。试验中人处在的地面合成场强的范围为 6.1kV/m～15.1kV/m。人体试验方式为：人触摸接地金属、人打伞触摸金属柄和人触摸架设在空中对地绝缘的 13m 长金属线时的感受。感受结果为：①穿普通鞋的人触摸接地金属体时无感觉;穿电工绝缘鞋的人触摸接地金属体时,在 15kV/m 的场强下时有明显但轻微的暂态电击感觉,在小于 12kV/m 的场强下无感觉。②人触摸架设在空中对地绝缘的 13m 长金属线时无感觉。③人打伞触摸金属柄,在地面合成电场小于 9.6kV/m 时,无感觉;在地面合成电场为 11kV/m～13kV/m 时,有明显但轻微的暂态电击感觉;在地面合成电场为 14.6kV/m～15.1kV/m 时,放电很明显,放电声较大,有明显刺痛感,与人在干燥的地板上走动后再触摸水龙头的感觉类似。同时这与葛上直流工程时所做的感受试验一致。

目前在国家环保总局组织的专家评审中,经过多方分析讨论,专家认为应充分考虑减少电击对人造成的不适或不快感,按 80% 测量值不超过 15kV/m 考虑,这样符合一般合格评定的规则,与无线电干扰限值的意义也一致。本标准接受了专家的意见,修改合成场强为以 25kV/m(晴天)作为邻近民房的最大合成场强,同时满足 80% 测量值不超过 15kV/m 为控制指标。最大离子流密度限值晴天不超过 $100nA/m^2$,雨天不超过 $150nA/m^2$。

关于 80% 值和 50% 值,假设测量数据为 100 组,将测量结果按照由小到大的顺序排列,第 81(或 51)个数值,即 80%(或 50%)测量值,此时小于或等于 15kV/m 为满足要求。对于因 80% 和 50% 的差距可能带来的问题,建议在监测方法中以规定风向和更小的风速来解决。

(3)对地最小间隙距离:

直流输电线路导线对地面的距离除要考虑正常的绝缘水平外,还要考虑静电场强、合成场强的影响。线路设计中采用的各种对地及交叉跨越间隙值,按其取值原则,可分为三大类:

1)由电场强度决定的距离;

2)由电气绝缘强度决定的距离:

3)由其他因素决定的距离。

第三类距离主要是为避免输电线路与其他部门设施之间的

影响,如车辆行驶时电力线杆塔对司机视线的阻挡、电力线倒塔时对其他设施造成危害等,在现行线路设计规程中,其取值大多与电压等级无关,相关部门亦已认可,故基本上沿用规程的值。个别与电压等级相关的距离,按各电压等级取值的级差递增取值。

1)居民区、非居民区最小对地距离取值:

直流输电线路导线对地面的距离主要由电场效应决定,按公众及交通工具可能到达的频繁程度分类的。在不同的分类场所,有不同的场强要求和标准,还应注意到人们在线路走廊内从事农业劳动时,在各个地方停留的机会是均等的,不可能全部集中在高场强的地方。在考虑输电线下最大场强限值时应综合考虑最大地面场强出现的概率、设计时对地距离的裕度等因素。

对于一般直流架空输电线下地面处电场强度、离子流密度的控制值可参照特高压取值。我国直流特高压架空输电线下地面处电场强度、离子流密度控制值取值如下:

①对于一般非居民地区(如跨越农田),合成场强限定在雨天 36kV/m,晴天 30kV/m,离子流密度限定在雨天 150nA/m^2,晴天 100nA/m^2;

②对于居民区,合成场强限定在雨天 30kV/m,晴天 25kV/m,离子流密度限定在雨天 100nA/m^2,晴天 80nA/m^2;

③对于人烟稀少的非农业耕作地区,合成场强限定在雨天 42kV/m,晴天 35kV/m,离子流密度限定在雨天 180nA/m^2,晴天 150nA/m^2。

目前我国已建±500kV 直流线路采用的导线型号为 4×300(葛上直流)、4×400(天广直流)、4×720〔三常直流、贵广直流、三广直流、荆枫(三沪二回)同塔双回路等〕、4×900(溪洛渡至广东同塔双回路)四种,如采用 4×500 或 4×630,对地距离可取 12.5m 和 11.5m 中间值 12m,此时地面合成场强和离子流密度是满足要求的,具体见表 37。

表37 ±500kV线路导线最小对地高度(m)

导线型号(mm²)	4×300	4×400	4×500	4×630	4×720	4×900
居民区	16.0	16.0	15.5	15.5	15.0	15.0
非居民区	12.5	12.5	12.0	12.0	11.5	11.5

同塔双回路采用＋－／－＋极性布置。

±500kV同塔双回直流线路极导线最小对地高度不比单回直流线路的高。考虑当±500kV同塔双回直流线路中的一回线路发生故障时，另一回线路产生的地面合成电场也应满足限值要求，因此±500kV同塔双回直流线路极导线对地最小高度取值与单回线路的相同。

对于相同导线布置，与4×720mm²导线方案相比，4×900mm²导线方案的地面合成场强减小，而标称场强有所增大。考虑直流线路对人的影响实际上是合成场强，标称场强只是合成场强的一部分，因此，直流输电线路的电场对人的影响原则应以合成电场衡量。

溪洛渡右岸电站送电广东±500kV同塔双回直流输电线路工程在设计时，按导线排列方式(＋－／－＋)，对4×900mm²导线方案的地面电场进行了计算。对于非居民区，对地11m时，地面合成电场即可满足限值要求，考虑一定裕度，工程非居民区最小对地距离仍建议取11.5m。对于居民区，对地距离取14.5m时即可满足场强要求，考虑一定裕度，仍建议取值15m。

电科院对±660kV线路的6×630mm²和4×1000mm²两种导线方案，在不同海拔下，极间距分别取18m和20m时的导线最小对地高度进行了计算，结果见表38。

表38 ±660kV单回线路导线最小对地高度计算结果(m)

导线型号	海拔0m、1000m、2000m时的极导线最小对地高度(m)			
	极间距18m		极间距20m	
	非居民区	居民区	非居民区	居民区
4×1000mm²	14.6、15.2、15.8	16.6、17.4、18.1	14.7、15.3、14.6	16.7、17.5、18.3
6×630mm²	14.3、15.0、15.7	16.2、17.1、17.9	14.3、15.1、15.8	16.3、17.2、18

我国交流 500kV 导线最小对地距离居民区取 14m,非居民区取 11m;交流 750kV 导线最小对地距离居民区取 19.5m,非居民区取 15.5m,人烟稀少的非农业耕作区取 13.7m;交流 1000kV 导线最小对地距离居民区取 27m,非居民区取 22m,人烟稀少的非农业耕作区取 19m。

我国直流±500kV 导线采用 4×LGJ-300 时最小对地距离居民区取 16m,非居民区取不小于 12.5m,导线采用 4×LGJ-720 时最小对地距离居民区取 15m,非居民区取不小于 11.5m;直流±800kV 导线最小对地距离居民区取 21m,非居民区取 18m,人烟稀少的非农业耕作区取 16m。

综上考虑,结合最小对地距离计算结果,确定的±660kV 线路导线在 1000m 海拔以下最小对地距离见表 39。

表 39　±660kV 线路导线最小对地距离(m)

地　区	导线最小对地距离	
	±660kV	±500kV
居民区	18	16
非居民地区(如跨越农田)	16	12.5
人烟稀少的非农业耕作地区	14	9.5
交通困难地区	13.5	9.0

当海拔高度超过 1000m,每增加 1000m 海拔高度,线路对地距离增加 6% 的距离;当线路经过灰尘严重地区时,线路对地距离还需至少增加 1m。

2) 导线对山坡、峭壁、岩石的距离:

对车辆不能达到的地区如山坡、峭壁、岩石等,该类地区的超高压线路最小对地距离的确定是取人、畜及携带物总高加上操作过电压间隙和裕度。我国现行的线路设计技术标准中,500kV 和 750kV 线路,人、畜及携带物总高按 3.5m 考虑、裕度按 2.0m 考虑。

葛上±500kV 直流导线对步行可到达的山坡和步行不能到

达的山坡、岩石的最小净空距离是根据泰西蒙公司根据美国电气安全规程规范提供的计算结果,并结合我国交流500kV线路的规定而确定的。葛上直流运行多年,无不良反映。后面所建直流工程取值同葛上直流都是一致的。即为:对于步行可达到的山坡,导线风偏后的净空距离按操作过电压间隙3m,加人、畜及携带物总高按3.5m,加裕度2.0m,为8.5m,推荐取9m;对于步行不可达到的山坡、峭壁、岩石,仅考虑操作过电压间隙和人鞭高度,导线风偏后的净空距离推荐6.5m。

±660kV直流输电线路仍按此原则考虑,对于步行可达到的山坡,导线风偏后的净空距离按操作过电压间隙5m,加人、畜及携带物总高按3.5m,加裕度2.0m,为10.5m,推荐取11m;对于步行不可达到的山坡、峭壁、岩石,导线风偏后的净空距离推荐8.5m。

在工程中应适当考虑海拔、湿度、污秽对地面合成场强造成的影响,并修改对地最小距离。

13.0.3 本条为强制性条文,必须严格执行。地面电场强度影响静电放电强度,造成电击二次伤害。说明如下:

用于控制无线电干扰水平,超出会影响电信接收设备的信号电平,导致电台信号、导航信号无法正常接收,影响公共安全。

线路临近民房,海拔高度小于1000m时,民房所在地面湿导线情况下未畸变合成电场应不超过15kV/m。

超过此限值,输电线路放电很明显、放电声音较大,对人并有明显的刺痛感。根据国家环保总局组织的专家评审,应充分考虑减少电击对人造成的不适或不快感,以25kV/m(晴天)作为邻近民房的最大合成场强,同时满足80%测量值不超过15kV/m作为控制标准。

13.0.4 本条说明如下:

(1)导线与建筑物之间的最小垂直距离:

直流线路不应跨越经常住人或屋顶为燃烧材料的建筑物,对于非长期住人的耐火屋顶的建筑物,在取得有关方面同意时可以跨越。导线与建筑物之间的最小垂直距离,可采用交通困难地区的标准。±500kV 线路在交通困难地区对地距离的基础上(8.5m)建议再增加 0.5m,取 9.0m。

±660kV 直流输电线路在交通困难地区,按操作过电压间隙控制的距离为 10.5m;按电场效应即静电场强限定在 20kV/m,合成场强限定在雨天 45kV/m、晴天 35kV/m,则 V 串情况下,0 海拔下对地距离分别约需 11.5m、12.3m、12.2m,考虑海拔修正后推荐取 13.5m。±660kV 线路在交通困难地区对地距离的基础上(13.5m)增加 0.5m 后,取 14.0m。

若所跨越的建筑物为非长期住人建筑,尚需满足房屋所在位置地面处湿导线合成场强 15kV/m 控制要求。

(2)导线在最大计算风偏时对建筑物的最小净空距离:

国内交流 500kV 及 750kV 最大风偏时净距按跨越建筑物时的垂直距离减去 0.5m,导线在最大计算风偏时对建筑物的最小净空距离基本与交通困难地区的标准的对地标准相近。考虑导线的最大计算风偏仅是短时性的,导线在最大计算风偏时对建筑物的最小净空距离,可采用交通困难地区的标准。因此,±500kV 线路在导线在最大计算风偏时对建筑物的最小净空距离取 8.5m;±660kV 线路取为 13.5m。

对城市多层建筑或规划建筑,该距离为水平距离。

(3)边导线与不在规划范围内城市建筑物之间的水平距离:

该项距离实质上是指对不在规划范围内城市建筑物,即使电场强度、净空距满足要求,也不允许跨越。在无风情况下,边导线需对其保持一定的水平间隔。在交流 500kV 标准编制时,该数值为导线最大风偏时至各建筑物最小净空距离的一半后取整。参考现行国家标准《110kV～750kV 架空输电线路设计规范》GB 50545—2010 的规定:500kV 取值 5m,750kV 线路取为 6.0m。±500kV 直线线路取值 5m,±660kV 直流线路按 750kV 交流线路增加 0.5m 后,取值 6.5m。

(4)重冰区房屋拆迁:

根据重冰区运行经验,当线路自然化冰或电流融冰时,冰块落下常会打坏民房,对人身安全也带来威胁,给运行单位增添许多麻烦。因此,新建重冰区线路要求尽量不跨越民房,当无法避免时,应在线路施工时予以拆迁。

13.0.5 直流线路通过林区,导线与树木之间的交叉跨越距离:

随着社会环保意识的不断加强,直流线路在跨越林木、植被覆盖等方面,应采取高跨和砍伐相结合,更好地保护生态环境。

观察发现,植物和动物对线路下的电场有很大的适应能力。线路走廊中生长的农作物,受电场的刺激,一般生长的高大,果实数量与无电场作用地区没有差别,甚至还有所提高。8kV/m～12kV/m 线路下生长的果树,受电场的作用使果实的质量提高。线路下和附近的乔木超过一定高度,树木端部会出现烧伤,测量表明,引起植物端部烧伤的电场强度在 20kV/m 以上,这种现象与电压等级并没有直接关系,美国、苏联等国家均在 500、750(765)kV 线路走廊内观察到类似的植物端部烧伤的现象。

(1)导线与林区树木之间的垂直距离:

与树木的最小垂距,我国 500kV 线路目前采用的数值大部分地区为 7.5m;华北地区多为 7m;广东地区多为 6.5m。线路与树木的净空距离,大部分地区 7m;华北、广东为 6.5m。线路与果树、经济作物的距离,大部分地区 6.5m,华北 8.5m,广东 6m。

加拿大安大略水电局《输电线路设计标准》规定:在导线最大弧垂或最大风偏时,导线与树木的任一部分之间的最小距离,对 345kV 和 500kV 线路为 4m～6m。

苏联规定:在公园、自然保护区、绿化区、居民点四周、贵重林区、水域、铁路和公路的防护林带的线路通道宽度应按导线最大偏斜时到树冠的距离来确定。对 330kV～500kV 线路,水平距离不小于 5m;750kV 线路,水平距离不小于 6m;1150kV 和±750kV

线路,水平距离不小于8m。

日本《架空送电规程》规定,500kV与植物的最小垂直距离为7.28m。

考虑树木超高生长,若不能及时砍伐可能导致对地放电,导线与林区树木之间的垂直距离需有较大的裕度。110kV～330kV线路一般取为最大过电压间隙加上约3m的裕度,早期500kV线路最大过电压间隙为3.8m,按此计算并归整应为7m,在建设过程中,各地实际取值为6.5m～7.5m,现行规程统一为在导线最大弧垂或最大风偏时,导线与树木(包括果树、经济作物林、城市行道树等)的最小距离为7m。750kV线路按最大过电压间隙加上3.5m裕度,取为8.5m。

1000kV线路按中相最大过电压间隙7m加上3.5m裕度,取为10.5m时,校核电场强度大于20kV/m,容易引起树木端部烧伤,因此按场强20kV/m以下控制进行校核,1000kV线路导线对树木最小垂直距离建议取值14m。

因此,±500kV直流线路导线对树木最小垂直距离取7m;±660kV线路导线对树木最小垂直距离按静电场强27kV/m,合成场强雨天60kV/m,晴天52kV/m取值,对树木最小垂直距离取10.5m。

(2)导线最大风偏时与公园、绿化区、防护林带树木之间的净空距离:

考虑最大风偏的短时性,110kV～330kV线路均在上述垂直距离的基础上减少0.5m,但我国现行《电力设施保护条例实施细则》中,对500kV级已规定净空距离采用与垂直距离相同的值,现行设计规程亦采用此原则。依此,±500kV、±660kV直流线路的该项距离分别取7m、10.5m。

(3)导线与果树、经济作物、城市绿化灌木及街道树之间的垂直距离:

该类树木超高生长的可能性很少,但考虑该类树木人接触的机会较多,且大多采用跨越方案,故应在跨越一般树木的取值基础上适当增加增加1.5m安全裕度。

±500kV直流线路参照原规定取7m,考虑1.5m的裕度取8.5m;±660kV直流线路按与一般树木最小垂直距离10.5m,考虑1.5m的裕度取12.0m。

13.0.6 本条文是按架空输电线路与弱电线路接近和交叉装置规程中有关规定而编制的。

13.0.7 根据现行国家标准《建筑设计防火规范》GB 50016的要求,作了些补充和修改。

(1)关于输电线路与易燃易爆场所的防火间距,不应小于杆塔高度加3m;

(2)散发可燃气体的甲类生产厂房如与明火接近,有可能发生燃烧或爆炸,考虑到输电线路运行过程有可能产生电弧或火花,为安全起见,参照现行国家标准《建筑设计防火规范》GB 50016的要求,补充规定了输电线路与散发可燃气体的甲类生产厂房的防火间距还应大于30m;

(3)关于输电线路与爆炸物的接近距离,按照爆炸物的布置方式(开口布置或闭口布置)有不同的要求,设计时可参考有关专业标准。

以上规定,均是针对输电线路事故时,不致危及接近的易燃易爆场所。但在输电线路设计中,往往还要考虑易燃易爆物事故时,不危及线路的安全运行。如果有此需要,可参照有关专业标准或与有关单位协商解决。

13.0.8 本条第1款为强制性条文,必须严格执行。说明如下:

直流线路与110kV及以上输电线路的交叉角应大于15°;线路跨越铁路时,交叉角不应小于45°,困难情况下双方协商确定,但不得小于30°。一般情况下,不应在铁路车站出站信号机以内跨越。走廊内受静电感应可能带电的金属物应予以接地。

输电线路对各种交叉跨越物的距离,其取值原则由电场强度、电气绝缘间隙以及其他因素决定。输电线路与交叉跨越物的水平距离主要是为了避免输电线路对其他部门设施产生影响,如车辆行驶时电力线杆塔对司机视线的阻挡、电力线倒塔时对其他设施造成危害等。在现行线路设计规程中,其取值大多与电压等级无关,相关部门亦已认可,个别与电压等级相关的距离,按各电压等级取值的级差递增取值。

(1)导线对公路交叉跨越距离。

1)导线对公路路面的最小垂直距离:

我国在第一批500kV线路设计时,控制地面场强小于9kV/m,线下大型车辆感应的短路电流不超过5mA电流的。考虑以后车辆尺寸还可能增大,以及降低电击的影响,我国500kV线路跨越公路的场强标准控制在7kV/m。苏联的场强限值较高,场强标准控制在10kV/m,但规定交叉公路处不允许运输车辆停留。美国则是控制人接触线下大型车辆时,通过人体的放电电流不超过5mA。考虑我国的实际情况,很难限制运输车辆不在线下附近停留,故仍维持7kV/m的场强限值。

表40　各国对公路路面最小垂直距离

国　别	额定电压 (kV)	场　所	场强限值 (kV/m)	对地距离 (m)
苏联	1150	公路		21~22
苏联	750	公路	10	16
苏联	±750	公路		12.5
美国 AEP	765	一般公路	7	16.8
美国 AEP	765	高速公路	5~8	19.5
加拿大	735	公路		15.4
中国	500	公路	7	14
中国	750	公路	7	19.5
中国	1000	公路	7	暂推荐取值27

直流输电线路跨越公路时导线对公路路面的距离,按照居民区标准执行。±500线路导线对公路路面的距离原规定为2级及以上公路16m,其他公路14m,现建议统一取为16m,±660线路导线对公路路面的距离为18m。

因为直流输电线路最大负荷仅为额定负荷的110%,导线最大弧垂可按±70℃或按实际可能到达的温度计算。

2) 交叉公路的最小水平距离:

在开阔地区,线路交叉一级及以下公路时,铁塔基础外缘至路基边缘的最小水平距离(原规程)对电压等级110kV～500kV线路均为8m,750kV线路取10m。1000kV及±800kV特高压线路建议取值15m。因此,±500kV直流输电线路建议取8m,±660kV单回直流输电线路,建议取15m。交叉高速公路时,最新公路法要求已大为提高,如广东、湖北等地要求80m。因此,直流线路铁塔基础外缘至高速公路隔离栏的最小水平距离与公路部门协商,按协议要求取值。

3) 与公路平行的水平距离:

在开阔地区,当线路与公路平行接近时,电力线对公路的水平距离应不小于最高杆塔高度。

在路径受限制地区,最小水平距离一般随电压等级升高而适当增大(现行规程),500kV交流线路边导线至路基边缘最小水平距离取8m,750kV线路边取10m,±800kV特高压直流线路取值为12m,1000kV特高压线路边导线至路基边缘最小水平距离取15m。

建议±500kV直流输电线路取8m;为确保对行人及车辆的安全,±660kV单回直流输电线路极距V串在18m～20m时,推荐取10.5m。该距离下,路基边缘最大场强满足居民区的要求。

(2) 导线对铁路交叉跨越距离。

1) 导线至铁路轨顶的垂直距离:

国外及我国500kV以上线路的规定见表41:

表41　各国不同电压等级对铁路交叉垂直距离

国 别	电压等级(kV)	至铁路轨顶的垂直距离(m)	至接触网的垂直距离(m)
苏联	1150	17.5	14.5(网线、杆顶)
苏联	750	12	10(网线、杆顶)
苏联	±750	13	10.5(网)、12(杆顶)
加拿大	735	13.7	
中国	500	电气轨16m、标轨14m、窄轨13m	6(网)、8.5(杆顶)
中国	±500	16	7.6(网)、8.5(杆顶)
中国	750	电气轨21.5m、标轨19.5m、窄轨18.5m	7(网)、10(杆顶)
中国	1000	电气轨及标轨建议取27m、窄轨建议取26m	建议取16m

考虑我国的实际情况,±660kV线路至标准轨距铁路轨顶的最小垂直距离参照跨越公路即居民区的要求,即静电场强限定在12kV/m,合成场强限定在雨天30kV/m,晴天25kV/m,离子流密度限定在雨天$100nA/m^2$、晴天$80nA/m^2$。导线对标准轨距铁路轨顶的距离取18m。

导线至窄轨铁路轨顶的最小垂直距离比标准轨铁路可减少一些,我国现行线路设计规程中,一般均减少1m。±660kV线路也按标轨减少1m取值,即取17m。

跨越电气化铁路时,考虑其等级及重要性较高,500kV线路的规定,导线至轨顶的最小垂直距离一般要求比非电气化铁路大一些,该项距离比标准轨铁路增加取2m。但±660kV直流线路跨越铁路时的对地距离由地面场强控制,最大电气间隙已有足够的安全裕度,因此不另外增加安全距离。

因此,参照现有规定,±500kV直流线路对铁路轨顶的垂直距离统一取16m;±660kV对铁路轨顶的垂直距离建议统一取18m。

2)导线至电气化铁路承力索或接触线的垂直距离:

直流线路导线跨越电气化铁路承力索或接触线的垂直距离可按最大电气间隙控制,并考虑裕度。±660kV线路按此原则控制,操作过电压间隙取 5m,裕度取 3m,导线跨越电气化铁路承力索和接触线的垂直距离取 8m。

对于铁路承力索或接触线的塔顶最小垂直距离,为减少登杆维修人员受到的静电感应影响,降低杆塔顶的场强,需适当增大导线至塔顶间距。

计算各电场强度下,±660kV 直流线路导线至电气化铁路承力索或接触线杆塔顶的垂直距离,见表 42。

表 42　±660kV 导线至电气化铁路承力索或接触线杆塔顶的距离计算结果(m)

项目 场强	计算值	推荐值	备注
静电场强 18kV/m;合成场强雨天 42kV/m;晴天 35kV/m	12.3,13,12.2	14	计算值为电科院按 4×1000mm² 导线、极间距 18m、0 海拔时对地面场强的计算结果。 空间场强计算值较地面场强计算值偏小,4×1000mm² 导线计算值较 6×630mm² 导线计算值偏大,极间距对结果影响很小
静电场强 22kV/m;合成场强雨天 50kV/m;晴天 42kV/m	10.9,11.4,10.8	12.5	
静电场强 27kV/m;合成场强雨天 60kV/m;晴天 52kV/m	9.5,9.5,9.3	10.5	

对接触网塔顶的场强按静电场强 22kV/m,合成场强雨天 50kV/m 晴天 42kV/m 控制,±660kV 单回线路导线至电气化铁路承力索和接触线杆塔顶的垂直距离取 12.5m。

±500kV 线路按此原则控制,操作过电压间隙取 3m,裕度取 3m,导线跨越电气化铁路承力索和接触线的垂直距离应取 6m。建议±500kV 线路与其他电压等级跨越距离取值原则一致,跨越电气化铁路承力索和接触线垂直距离由原来的 7.6m(网)和 8.5m(杆顶)修改为 6m(网)和 8.5m(杆顶)。

3)交叉铁路的最小水平距离:

铁道部铁建设函〔2009〕327 号文规定,线路交叉跨越铁路时,杆塔外缘至轨道中心水平距离不应小于"塔高加 3.1m"。当无法满足此要求时,可适当减小距离。交叉铁路时,铁塔基础外缘至轨道中心的最小水平距离原规程各级电压均为 30m,但交流 1000kV 和直流±800kV 特高压线路因电压等级较高,为提高安全运行可靠性建议最小水平距离提高到 40m 或按协议要求取值。

因此,推荐±500kV 直流线路也依照原规程取值为 30m,±660kV 直流线路交叉铁路的最小水平距离取中间值 35m 或按协议要求取值。

4) 与铁路平行的水平距离:

铁道部铁建设函〔2009〕327 号文规定,线路与铁路平行接近时,杆塔外缘至轨道中心的水平距离不小于塔高加 3.1m,困难时协商确定。

在路径受限制地段,应当控制直流线路与铁路的平行距离和长度,并对每一交叉段和接近段进行验算,以确定对铁路通信、信号和闭锁装置的干扰和危险影响。对电气化铁路,必须降低在铁路接触网的导线和承力索上所感应的电压。在导线最大风偏情况下,架空线路的边导线至接触网导线的距离应大于 45m,至非电气化铁路建筑物的距离应大于 15m。

5) 铁路其他规定:

铁道部铁建设函〔2009〕327 号文规定,特高压输电线路跨越铁路处采取的加强措施:

①基本风速、基本覆冰重现期应按 100 年一遇设计;
②杆塔结构重要性系数应取 1.1;
③跨越铁路时采用独立耐张段,跨越档导线、地线不得设有任何接头;
④一般情况下,不应在铁路车站出站信号机以内跨越;
⑤跨越时,交叉角不应小于 45°,困难情况下双方协商确定,但不得小于 30°;

⑥为提高特高压线路的抗冰能力,跨越段应因地制宜,实行差异化设计;覆冰区段,导线最大设计验算覆冰厚度应比同区域常规线路增加10mm,地线设计验算覆冰厚度增加15mm;

⑦跨越段绝缘子串采用双挂点、双联"I"串或"V"串形式;

⑧导线最大弧垂温度按照相关国家标准执行,且不应小于70℃;

⑨跨越铁路的特高压线路铁塔处应设置标志牌,标明以下信息:电压等级、走廊宽度、轨顶的导线最低点高度、相对轨顶的设施限高、安全绝缘距离等。

(3)对电车道的交叉跨越距离。

1)与电车道路面及接触网的最小垂直距离:

直流线路至电车道路面及接触网的最小垂直距离按照跨越电气化铁路的要求取值。

2)交叉电车道的最小水平距离:

在开阔地区,铁塔基础外缘至路基边缘的最小水平距离(原规程)对电压等级110kV～500kV均为8m,750kV线路取10m,1000kV特高压交流线路和±800kV特高压直流线路暂建议取值15m。因此,±500kV直流线路建议取值8m,±660kV单回直流线路建议取值12m。

3)平行电车道的最小水平距离:

在开阔地区,当线路与轨道交通平行接近时,电力线对轨道交通的水平距离应不小于最高杆塔高度。

在路径受限制地区,最小水平距离原规程一般随电压等级升高而适当增大。±500kV直流输电线路取值8m;±660kV单回直流输电线路,按V串布置,对地16m时,离线路中心25m～35m处,地面合成场强晴天为15kV/m～7kV/m,雨天为19kV/m～10kV/m,考虑±660kV单回直流输电线路杆塔根开在9m～16m,建议杆塔外缘至路基边缘最小水平距离取30m或按边导线至路基边缘最小水平距离取18m,并在导线最大风偏情况下,导线至轨道交通最近构件的距离不小于15m,以确保对行人及车辆的安全。

(4)导线对弱电线的交叉跨越距离。

1)导线对弱电线的最小垂直距离:

我国500kV线路对通信线路的最小垂直距离为8.5m,±500kV直流输电线路仍参照此标准。

±660kV单回直流线路导线至弱电线的最小垂直距离可按静电场强18kV/m,合成场强雨天42kV/m晴天35kV/m控制,暂推荐取值14m,较交叉铁路接触网杆顶的标准增加1.5m。

2)对弱电线的最小水平距离:

在开阔地区,原标准规定110kV~750kV线路与弱电线平行接近时,线路边导线至弱电线的最小水平距离不小于平行地段线路的最高杆塔高度。直流线路暂建议照此执行。

在路径走廊受限制地区,原规程规定边导线在最大风偏情况下对弱电线的水平距离,500kV为8m,±500kV直流输电线路仍参照此标准。

±800kV特高压直流线路对弱电线的最小水平距离,按与步行可以到达的山坡最小距离取值相同,为12m。±660kV直流线路仍按此标准取值,为11m。

(5)导线对电力线的交叉跨越距离。

1)对电力线路导(地)线的最小垂直距离:

我国标准规定与电力线交叉跨越应根据最高气温情况或覆冰无风情况的最大弧垂进行校核。±800kV特高压直流线路跨越电力线时,对导(地)线的最小垂直距离,按操作过电压间隙7.5m,加上3m裕度,推荐取值为10.5m(实际工程校核时,需另考虑导线动态范围)。

±660kV直流线路跨越电力线时仍按此标准取值,即对导(地)线的最小垂直距离,按操作过电压间隙5m,加上3m裕度,推荐取8m。

±500kV对跨越电力线垂直距离要求,建议与其他电压等级对电力线跨越距离取值原则一致,跨越电力线垂直距离由原来的7.6(8.5)m修改为6(8.5)m。

导线动态范围由设计根据实际跨越情况进行校核和预留,不再另行考虑。

2)导线对电力线杆塔顶的垂直距离:

±500kV直流线路导线对电力线杆塔顶的垂直距离参照原有规定,取8.5m。

±660kV单回直流线路导线对电力线杆塔顶的最小垂直距离可取交叉铁路接触网杆顶的标准及取值,暂推荐取值为12.5m。

3)对电力线的最小水平距离:

在开阔地区,线路电力线平行接近时,线路边导线至架空线边线最小水平距离不小于平行地段线路的最高杆塔高度。

在路径受限制地区,边导线在最大风偏情况下对其他电力线边线之间的水平距离,500kV级为13m,750kV为16m。1000kV线路考虑相间过电压的差别,在750kV基础上增加4m,取为20m。±800kV特高压直流线路导线在最大风偏情况下对其他电力线边线之间的水平距离取为20m。

推荐±500kV直流线路取13m,±660kV单回直流线路导线取为18m。

对相邻线路杆塔在导线最大风偏情况下的最小水平距离取最大操作过电压间隙值,同时考虑杆塔在无风时上人检修,并留有适当预度,暂按按步行可以到达山坡考虑,推荐±500kV直流线路取8.5m,±660kV单回直流线路导线取11m。

(6)对特殊管道的交叉跨越距离。

1)对特殊管道的最小垂直距离:

特殊管道是架设在地面上输送易燃易爆物品的管道,导线对此类管道的最小垂直距离,建议与跨越弱电线相同或按协议要求取值。

对于直流线路,±500kV建议对管道与跨越弱电线相同(8.5m),取为9.0m或按协议要求取值,跨越索道可与跨越承力索或接触线相同,取为6m。±660kV直流线路,建议对管道与跨越弱电线相同,取为14m或按协议要求取值。跨越索道可与跨越承力索或接触线相同,取为8m。

2)对特殊管道的最小水平距离:

苏联的超特高压线路与地上天然气管道、石油管道、石油产品管道和载人索道交叉时的交叉角,建议尽可能采取90度。金属管道和索道应该在同线路交叉的范围内接地,而当750kV及以上架空线路同管道和索道平行架设和接近时,在架空线路两侧距中心线各100m以内的地段也应该接地,接地电阻应不超过25Ω。

苏联的超特高压线路与地上管道、索道交叉或接近距离,见表43,与地下管道、索道交叉或接近距离,见表44。

表43 苏联的超特高压线路与地上管道、索道交叉或接近距离

交叉或接近特征	各级电压(kV)架空线路的最小距离(m)				
	330	500	750	1150	±750
导线至管道、索道垂直距离	6.0	6.5	12.0	14.5	10.5
基础至管道、索道水平距离(交叉、开阔地区)	杆塔高度				
基础至管道、索道水平距离(交叉、受限地区)	6.0	6.5	15.0	15.0	15.0
接近时不偏斜边导线至主干天然气管道水平距离	2倍杆高,但不能近于防护区边界				
同上,至主干石油管道和石油产品管道水平距离	50m,但不小于杆塔高度				
同上,至泥浆管道	30	30	40	40	40
同上,在导线最大风偏时至其他管道、索道任何部分	15	15	25	25	15

表 44　苏联的超特高压线路与地下管道、索道交叉或接近距离

交叉或接近特征	各级电压(kV)架空线路的最小距离(m)				
	330	500	750	1150	±750
由不偏斜导线至压力在1.2MPa以上的主干天然气管道及石油管道的水平接近距离	30	30	40	55	55
同上,在路径受限地区,架空线路接地装置或基础至上述管道、索道的水平接近距离	15	15	25	25	25
架空线路接地装置或基础至压力在1.2MPa以下的主干天然气管道及主干天然气管道支线和主干石油管道及石油产品管道支线的水平距离	10	10	10*	10*	10*
同上,至各种不同用途管道	3.0	3.0	10*	10*	10*
架空线路中心线至安装在主干天然气管道上的排汽筏的距离	300	300	300	300	300

注：* 只是在遇有交叉,且又同750kV及以上架空线路接近时,才要将管道敷设在防护区以外。

当直流超高压线路同地下管道接近时,应考虑对钢管道采取保护措施,以防止由于地中电流引起的腐蚀。预防地下管道腐蚀最有效的办法是采取阴极保护。

国内相关标准主要内容如下：

1) 中华人民共和国国家标准《城镇燃气设计规范》GB 50028—93(2002年版)规定如下：

地下燃气管道与建、构筑物和相邻管道之间的水平净距,>35kV电杆(塔)的基础之间的水平净距不小于5m。

地下燃气管道与交流电力线接地体的净距(m),220kV铁塔或电杆接地体为10m。

地下液态液化石油气管道与建、构筑物和相邻管道之间的水平净距,架空电力线(中心线)1倍杆高(考虑倒杆影响),且不小于10m(考虑电力线路运行时对液化石油气管道感应电位的影响)。

门站和储备站集中放散装置的放散管与站外建、构筑物的防火间距,＞380V架空电力线2.0倍杆高。

液化石油气供应基地全压力式、全冷冻式储罐与基地外建、构筑物的防火间距,架空电力线(中心线)1.5倍杆高,但35kV以上架空电力线应大于40m。

2)中华人民共和国国家标准《输油管道工程设计规范》GB 50253—2003规定如下:

当埋地输油管道与架空电力线路平行敷设时,其距离应符合现行国家标准《66kV及以下架空电力线路设计规范》GB 50061及现行国家标准《110kV～500kV架空送电线路设计技术规程》GB 50545—2010的规定。埋地液态液化石油气管道,其距离不应小于上述标准中的规定外,且不应小于10m。

3)中华人民共和国国家标准《石油和天然气工程设计防火规范》GB 50183—2004规定如下:

石油天然气站场区域布置防火间距,35kV以上架空电力线(中心线)1.5倍杆高,且应不小于30m(液化石油气和天然气凝液站场应不小于40m)。

油气井与周围建(构)筑物、设施防火间距,35kV以上及以下架空电力线(中心线)1.5倍杆高。

埋地集输管道与其他地下管道、通信电缆、电力系统的各种接地装置等平行或交叉敷设时,其间距应符合现行国家标准《钢质管道及储管腐蚀控制工程设计规范》SY 0007的有关规定。

集输管道与架空输电线路平行敷设时,其安全距离应符合下列要求:

管道埋地敷设时,其安全距离不应小于下表规定。

表45 管道与各电压等级架空输电线路平行敷设安全距离要求

名　　称	3kV以下	3kV～10kV	35kV～66kV	110kV	220kV
开阔地区	最高杆(塔)高				
路径受限制地区(m)	1.5	2.0	4.0	4.0	5.0

注：1 表中距离为边导线至管道任何部分的水平距离；
　　2 对路径受限制地区的最小水平距离要求,应计及架空电力线路导线的最大风偏。

当管道地面敷设时,其间距不应小于本段最高杆(塔)高度。

4)《石油天然气管道保护条例》第313号国务院令规定如下:

第十五条　禁止任何单位和个人从事下列危及管道设施安全的活动:

(一)移动、拆除、损坏管道设施以及为保护管道设施安全而设置的标志、标识；

(二)在管道中心线两侧各5m范围内,取土、挖塘、修渠、修建养殖水场,排放腐蚀性物质,堆放大宗物资,采石、盖房、建温室、垒家畜棚圈、修筑其他建筑物、构筑物或者种植深根植物；

(三)在管道中心线两侧或者管道设施场区外各50m范围内,爆破、开山和修筑大型建筑物、构筑物工程；

(四)在埋地管道设施上方巡查便道上行驶机动车辆或者在地面管道设施、架空管道设施上行走；

(五)危害管道设施安全的其他行为。

第十六条　在管道中心线两侧各50m至500m范围内进行爆破的,应当事先征得管道企业同意,在采取安全保护措施后方可进行。

第二十三条　任何单位在管道设施安全保护范围内进行下列施工时,应当事先通知管道企业,并采取相应的保护措施:

(一)新建、改(扩)建铁路、公路、桥梁、河渠、架空电力线路；

(二)埋设地下电(光)缆；

(三)设置安全或者避雷接地体。

综合苏联及我国相关规定,对特殊管道的交叉跨越距离±500kV直流线路参照原有规定,±660kV直流架空线路对管道和索道交叉和接近距离规定如下:

在开阔地区,线路与特殊管道平行接近时,线路边导线至管道任何部分的最小水平距离不小于平行地段线路的最高杆塔高度。

在路径受限制地区,边导线在最大风偏情况下对特殊管道的水平距离,按步行可以到达山坡考虑并适当增加预度,取值为13m。

±660kV直流架空线路对管道和索道最小水平距离见表46。

表46　±660kV直流架空线路对管道和索道最小水平距离

线路与管道和索道交叉或接近特征	最小(净空)距离(m)	备注
交叉、开阔地区,基础至架空管道、索道水平距离	杆塔高度	
交叉、受限地区,基础至架空管道、索道水平距离	13.0	
平行,边导线至架空天然气主管道	2倍杆塔高度	无风时
平行,边导线至架空石油主管道	50,且不小于杆塔高度	无风时
平行,边导线至其他架空管道	13	最大风偏
平行,边导线至埋地油气主管道	55	无风时
平行或交叉,杆塔接地体或基础至埋地油气主管道	25	
线路中心线至天然气主管道排气阀	300	

(7)对河流的交叉跨越距离。

1)跨越河流的最小垂直距离:

在跨越通航河流时,导线至5年一遇洪水位的最小垂直距离参照我国500kV线路的要求:首先考虑最大操作过电压间隙,再考虑小型船只活动高度和裕度,例如:500kV线路取9.5m,750kV线路取11.5m,1000kV线路推荐取值14m。±800kV特高压直流线路导线对洪水面的场强按静电场强22kV/m,合成场强雨天50kV/m晴天42kV/m控制,推荐取值为15m。

±500kV直流线路按原有规定,导线至5年一遇洪水位的最小垂直距离取值12m;至最高航行水位桅顶的最小垂直距离原有规定取值7.6m,建议修改为按操作过电压间隙3m加上3m裕度,取为6m。

±660kV单回直流线路考虑最大操作过电压间隙5m,小型船只活动高度3.5m,加预度3m,取值11.5m,此时校核洪水面场强静电场强-21kV/m,合成场强雨天-45kV/m晴天-32kV/m。而按对洪水面的场强按静电场强22kV/m,合成场强雨天50kV/m晴天42kV/m控制,取值为12.5m。因此,暂推荐导线至5年一遇洪水位的最小垂直距离为12m。导线至最高航行水位的最高船桅顶的最小垂直距离按导线最大操作过电压间隙5m加上3m裕度,取为8m。

跨越不通航河流时,导线至百年一遇洪水位的最小垂直距离,±800kV特高压直流线路考虑最大操作过电压间隙7.5m,考虑漂浮物高度2m,加预度3m,取值12.5m。

±500kV直流线路至百年一遇洪水位原有规定取值7.6m,建议修改为按操作过电压间隙3m,考虑漂浮物高度2m,加上3m裕度,取为8m。冬季导线至冰面的最小垂直距离按原有规定取值12m。

±660kV单回直流线路至百年一遇洪水位考虑最大操作过电压间隙5m,考虑漂浮物高度2m,加裕度3m,取值10m。冬季导线至冰面的最小垂直距离按非居民区的要求,取16m。

最高洪水位时,有抢险船只航行的河流,垂直距离应通过协商确定。

2)与河流平行的水平距离:

当线路与沿河流的拉纤小路平行时,边导线至斜坡上缘的最小水平距离按原规程取为最高杆塔高度。

13.0.9 重覆冰区线路交叉跨越距离校核。

(1)鉴于重冰线路在长期运行中,冰凌过载情况是始终存在的,所以,对于采用孤立档交越的重要被跨越物,其安全间隙距离需要按验算覆冰情况校验;

(2)对于一般被跨越物,当采用连续档交越时,其安全间隙距离需按导线不均匀覆冰时情况进行校验,校验条件:跨越档内导线覆有50%设计冰载,其余档无冰、无风、气温5℃;

(3)覆冰期间人员经常活动场所系指冰冻期间尚有人经常来往的道路,以及居民点附近冻期间居民经常到达地点,对这些地区,其最小的安全间距规定见表47;

表47 最小安全间距规定

电压(kV)	500	660
最小安全间距(m)	9.0	11(11.5)

注:( )内数值适用于双回。

(4)当对重要被交越物采用非孤立档跨越时,除校验不均匀覆冰时安全间隙距离外,还需按实际跨越情况校核邻档断线时的最小安全间隙距离;

(5)当重覆冰线路跨越电力线、通信线、承力索和索道时,当被跨越物档距较大,必要时,还需校验下面被跨越物脱冰跳跃时,瞬间动态接近距离最小垂直间距。

验算覆冰条件、导线不均匀覆冰情况下对被交叉跨越物的间隙距离按操作过电压间隙校验。

14 环境保护

14.0.1～14.0.4 本章条文要求输电线路设计应符合国家环境保护、水土保持和生态环境等相关法律、法规的规定。强调对电磁干扰采取的防治措施,并对输电线路环境影响进行评价。输电线路环境影响评价采用的手段与方法所涉及的标准主要有:

(1)《作业场所工频电场卫生标准》GB 16203 对工频电场测量方法的规定;

(2)《声环境质量标准》GB 3096 中对环境噪声测量方法的规定;

(3)《环境影响评价技术导则》HJ/T 2.1～2.3;

(4)《环境影响评价技术导则 声环境》HJ/T 2.4;

(5)《环境影响评价技术导则 非污染生态影响》HJ/T 19;

(6)《环境影响评价技术导则 生态影响》HJ/T 19。

14.0.5、14.0.6 这 2 条强调对自然环境和水土保持采取的防治措施,输电线路设计中应采取以下治理措施:

(1)山区线路应采用全方位高低腿加高低基础相组合,以适应地形发生的变化,减少塔位处植被的破坏;

(2)输电线路的选线和建设应符合国家《全国生态环境保护纲要》的有关规定,根据绿化规划应因地制宜在输电线路塔基区、施工道路等周边地区种植草皮,恢复植被;

(3)输电线路编制水土保持方案中采用的手段与方法所涉及的标准、规范和规定:

1)国务院国发〔2000〕第 38 号文《全国生态环境保护纲要》;

2)关于印发《全国水土保持预防监督纲要》的通知,水保〔2004〕332 号;

3)《防洪标准》GB 50201;
4)《水土保持综合治理技术规范》GB/T 16453.1～16453.6;
5)《开发建设项目水土保持方案技术规范》SL 204。

15 劳动安全和工业卫生

本章内容针对国家对劳动安全与工业卫生工作的要求,结合输电线路的具体特点,参照有关标准的相关内容编制。

16 附属设施

16.0.1 巡线站的设置与否跟沿线交通条件关系很大,在交通方便地区一般不需要设置巡线站。

16.0.2 按以往的惯例运行管理部门确有此需要,故一直沿用至今,根据近年来线路运行中发生的攀爬、触电事故,增加设置高压危险、禁止攀爬杆塔和接近的标志,并增加"杆塔上固定标志的尺寸、颜色和内容还应符合运行部门的要求"。

16.0.3 根据现在的通信条件完全没有架设检修专用通信线路的必要,对于大山、大森林或荒原等通信困难地段,也应采用适当的先进通信手段而不宜架设专用通信线,宜根据现有运行条件配备适当的通信设施。

附录 J 公 路 等 级

按现行行业标准《公路工程技术标准》JTG B01—2003 定义公路等级。